ITALO CALVINO

IL PRINCIPE GRANCHIO
E ALTRE FIABE ITALIANE

Illustrazioni di Emanuele Luzzati

www.ragazzimondadori.it

© 1994 by Palomar S.r.l. e Arnoldo Mondadori Editore S.p.A., Milano per il testo
© 2002 by Esther Judith Singer Calvino - Giovanna Calvino e Arnoldo Mondadori
Editore S.p.A., Milano, per il testo
© 2010 Arnoldo Mondadori Editore S.p.A., Milano, per le illustrazioni
© 2015 by Esther Judith Singer Calvino - Giovanna Calvino e Mondadori Libri
S.p.A., Milano
Prima edizione Giulio Einaudi Editore S.p.A., 1974
Prima edizione nella collana "I Classici" novembre 2010
Prima edizione nella collana "Oscar junior" febbraio 2012
Quarta ristampa marzo 2018
Stampato presso ELCOGRAF S.p.A.
Via Mondadori, 15 - Verona
Printed in Italy
ISBN 978-88-04-61697-9

FIABE A CAVALLO

IL DRAGO DALLE SETTE TESTE

C'era una volta un uomo pescatore, la cui moglie, benché sposata da tempo, non gli faceva figli. Un bel giorno il pescatore se n'andò con le sue reti a pescare nel lago vicino, e gli riuscì d'acchiappare un pesce di gran bellezza e grossezza. Appena tratto fuor dall'acqua, il pesce prese a supplicare l'uomo, che si contentasse di lasciarlo andar via, e in cambio lui gli prometteva d'insegnargli uno stagno in quei dintorni, dove avrebbe potuto in un momento fare una pesca ben più ricca. A sentir parlare un pesce, il pescatore s'impaurì, e senza starci a pensare diede libertà alla bestia, che subito sparì giù nell'acqua. Ma il pescatore, andato a quello stagno, in due o tre retate di pesci, ne acchiappò tanti, che tornò a casa più carico d'un ciuco.

La moglie volle sapere come gli era andata, da portare a casa tutto quel pesce; e lui per filo e per segno le disse ogni cosa. La donna, a quella nuova, imbizzita contro il marito, fa: — Mammalucco! Ti sei lasciato scappare un pesce così bello! Bada di ritrovarlo domani, che lo voglio qui, e voglio ammannirlo in un intingolo che ci caverà la voglia di pesce per un pezzo.

L'indomani, il pescatore, per far contenta la moglie, torna al lago e butta la rete, e di nuovo tira su il pesce che parla: ma anche stavolta l'uomo si lasciò commuovere dalle suppliche e dai pianti del pesce e gli diede la via, e poi di pesca ne ebbe quanta ne volle nel solito stagno. La moglie però, quando il pescatore tornò e le raccontò, uscì fuori dai gangheri, mise le mani sui fianchi e gliene disse di tutti i colori: — Bue! Uomo di stoppa! Non t'accorgi che è la fortuna che vuol venirti incontro a tutti i costi? E tu la disprezzi così? O domani mi porti il pesce o te ne farò pentire io. Inteso?

A bruzzolo, riecco il pescatore al lago; butta le reti, tira, e ci ritrova dentro il pesce. Stavolta non stette lì a badare a pianti né a parole: corse a casa filato e consegnò il pesce ancora vivo nelle mani della moglie che lo gettò in un catino d'acqua fresca. Si misero tutt'e due intorno al catino, a riguardare quel pesce quant'era grosso e a ragionare qual era il miglior modo di cucinarlo. Allora il pesce, fatto capolino fuor dall'acqua, disse: — Visto che per me non c'è rimedio e mi tocca di morire, lasciate almeno che faccia testamento.

Il pescatore e la moglie gliel'accordarono e il pesce così parlò: — Quando sarò morto, cotto e tagliato in due, la mia carne se la mangi la donna, il brodo della lessatura datelo da bere alla cavalla, buttate la mia testa alla cagna, e le tre lische più grosse piantatele ritte nell'orto. Il fiele appendetelo a una trave in cucina. Avrete dei figlioli, ma quando a qualcuno di questi figli succederà qualcosa di brutto, il fiele suderà sangue.

Dopo ammazzato e cotto il pesce, i due seguirono a puntino quel che lui aveva detto; e accadde che la donna, la cavalla e la cagna figliarono, tutte e tre la stessa notte e la cagna fece tre cagnolini, la cavalla tre puledri, e la donna tre bambini maschi. Il pescatore disse: — Guarda un po': in una notte sono nate nove persone! — I gemelli si somigliavano tanto tra loro che non era possibile riconoscerli se non gli si metteva un segno addosso. Dalle lische piantate nell'orto, invece, vennero su tre belle spade.

Quando i ragazzi furono giovanotti grandi, il babbo diede loro un cavallo, un cane e una spada per uno, e di suo ci aggiunse uno schioppo da caccia: ma presto il primogenito si stancò di starsene a casa in povertà e volle andare per il mondo in cerca di fortuna. Monta a cavallo, prende il cane con sé, la spada e lo schioppo ad armacollo, saluta tutti quelli di casa e se ne va. Prima di partire dice ai fratelli: — Caso mai il fiele appeso alla trave sanguinasse, venite a cercarmi, perché io o sarò morto o mi sarà successa qualche gran disgrazia. Addio. — E via al galoppo.

Il primogenito, dopo aver cavalcato molti giorni per paesi ignoti, giunse alle porte d'una gran città tutta abbandonata. Entrò: gli abitanti vestivano tutti di nero e in faccia erano tristi. Va a un'osteria, si mette a un tavolo a mangiare e domanda all'oste il perché di tutto quel nero. L'oste gli disse: — Come? Non sapete che c'è un Drago con sette teste che ogni giorno a mezzogiorno viene fin sul ponte e se non gli si dà una ragazza da mangiare entra in città e divora quanta gente gli capita? Tirano a sorte ogni giorno: oggi è toccato alla figlia del Re e a mezzogiorno bisogna che sia sul ponte per farsi mangiare. Il Re però ha messo un foglio alla colonna, e c'è scritto che la dà in moglie a chi riesce a liberarla.

Il giovane disse: — E non ci sarà verso di salvare la figlia del Re e liberare la città da un tal flagello? Io ho una forte spada, un forte cane e un forte cavallo. Andiamo, conducetemi dal Re.

Subito condotto alla presenza di Sua Maestà, il giovane gli chiese il permesso di combattere col Drago e d'ammazzarlo.

Ma il Re gli rispose: — Giovanotto ardito, sappi che molti prima di te hanno tentato l'impresa, e ci han rimesso la vita, poveri sciagurati. Ma se a te garba di rischiarla e vinci il Drago, avrai la mia figlia in sposa ed erediterai il regno alla mia morte.

Per nulla impaurito il giovane prese il cane ed il cavallo e si andò a sedere sulla spalletta del ponte.

A mezzogiorno preciso arrivò la figlia del Re tutta vestita di seta nera, col suo seguito. Quando furono a metà del ponte, quelli del seguito tornarono indietro piangendo e lei rimase lì, sola sola. Si voltò e vide seduto sul ponte uno con un cane. Gli disse: — Galantuomo, che fate qui? Non lo sapete che ora viene il Drago a mangiarmi e se vi trova mangerà voi pure?

— Giustappunto — rispose il giovane — sono qui per liberarvi e per sposarvi.

Piangendo, la Principessa disse: — Disgraziato, va' via, se no il Drago ne avrà due da divorare, oggi, invece di me sola. È un Drago tutto pieno di incantesimi. Come vuoi fare ad ammazzarlo?

Il giovane, che a guardare la Principessa se n'era innamorato, disse: — Tant'è, ormai per amor vostro voglio correre questo rischio, e come sarà sarà.

Avevano appena finito questi ragionamenti, che l'orologio del palazzo scoccò il mezzogiorno. La terra cominciò a ballare, si spalancò una buca e di là, tra mezzo il fuoco e il fumo, scaturì il Drago dalle sette teste; e senza tentennare, con le sette bocche aperte s'avventò sulla Principessa, fischiando tutto dalla gioia perché aveva visto che quel giorno gli era stato preparato un pasto di due corpi umani. Ma il giovane non stette lì a pensarci sopra: salta d'un balzo a cavallo, sprona contro il Drago, gli aizza contro il cane, e con la spada comincia a dar giù a dritto e a rovescio, tanto che una dopo l'altra gli tagliò sei teste. Allora il Drago domandò un po' di riposo; e il giovane, che era anche lui senza fiato disse: — Riposiamoci pure.

Ma il Drago, la testa che aveva la sfregò per terra e tornò ad attaccarsi tutte le altre sei. Quando vide questo il giovane capì che doveva tagliarle tutte e sette in una volta; e ci si buttò tanto di slancio che a furia di spadate dritte e rovesce ci riuscì. Poi con la spada tagliò tutt'e sette le lingue e chiese alla figlia del Re: — Ce l'hai un fazzoletto da naso?

La Principessa glielo diede e il giovane ci mise dentro le sette lingue. Poi rimontò a cavallo e se n'andò a un albergo per cambiarsi i vestiti tutti polverosi e insanguinati e comparire alla presenza del Re pulito e in ordine.

Vuole il caso che in una casuccia vicino al ponte abitasse un carbonaio di gran furbizia e cattiveria, che aveva visto da lontano il combattimento. Pensò il carbonaio: "Approfittiamo di questo bonaccione che lascia le teste del Drago per terra e perde il tempo a vestirsi per far bella figura." Andò, raccattò le teste mozzate, le nascose dentro un sacco e brandendo un coltellaccio insanguinato del sangue del Drago, corse dal Re e gli disse: — Sacra Corona! Ecco davanti a voi l'ammazzatore del Drago; e queste sono le sue sette teste che col coltello che vedete gli staccai dal corpo a una a una. Dunque, Sacra Corona, mantenetemi la parola reale e datemi vostra figlia in sposa!

Il Re a vedersi davanti quel brutto ceffo rimase male. Nella storia non ci vedeva chiaro: sospettò perfino che il giovane ardito fosse stato divorato e il carbonaio fosse giunto all'ultimo quando il Drago era già sfinito e gli avesse dato solo il colpo di grazia. A ogni modo la parola reale non si cambia, e gli toccò replicare: — Se proprio le cose stanno così, mia figlia è tua: pigliatela pure.

In quel mentre la Principessa, nella sala d'udienza, a sentire quel contratto cominciò a gridare, che il carbonaio era un bugiardo e non era lui ad aver ucciso il Drago, bensì era quel giovane che sarebbe ora venuto a Palazzo. Nacque un gran battibecco: ma il carbonaio tenne duro, e mostrava le teste nel sacco come prova. Il Re, visto che il contrassegno c'era, non si poté disdire, e dovette ordinare alla figlia di chetarsi, e prepararsi pure a diventare la sposa di quel carbonaio.

Subito il Re comandò che fosse dato al popolo l'annunzio, e si preparassero tre giorni di corte bandita con tre grandi conviti, e all'ultimo si sarebbero celebrate le nozze. Intanto il vincitore vero del Drago venne a Palazzo reale: ma al portone le guardie non vollero farlo passare a nessun costo, e nello stesso momento egli sentì il banditore che dava per le piazze l'annunzio degli sponsali della Principessa con il carbonaio. Il giovane ebbe un bel protestare, chiese che lo lasciassero parlare col Re: le guardie non gli diedero neanche ascolto, stettero dure come massi; finché non apparve il carbonaio e disse che il giovane fosse cacciato via di forza senza indugio. Al poveretto non restò che andarsene con tutta la sua rabbia in corpo; tornò all'albergo e si mise ad almanaccare qualcosa per impedire quelle nozze, scoprire l'inganno e farsi riconoscere come l'uccisore del Drago.

A Corte imbandirono la mensa e tutta la nobiltà fu invitata. Il carbonaio lo misero vicino alla Principessa, tutto vestito di velluto, e poiché era piccolino di statura gli misero sette cuscini sotto il sedere, così sembrava un po' più alto.

Il giovane, nell'albergo, pensa che ti pensa, chiamò il cane accucciato ai suoi piedi e gli disse: — To', Fido, corri su, va' dalla figlia del Re, falle le feste, a lei sola, ti raccomando, e prima che comincino a mangiare butta all'aria la mensa e scappa. Ma bada di non farti acchiappare.

Il cane, che capiva quando il padrone parlava, partì di corsa e saltò con le zampe in grembo alla Principessa, e bramiva, e le dava gran linguate alle mani e al viso. Lei lo riconobbe e si rallegrò molto di vederlo, e carezzandolo gli chiedeva in un orecchio dove fosse il suo liberatore. Ma il carbonaio, insospettito di tutte queste carezze, voleva far scacciare il cane dalla sala. Ecco che mettono la zuppa in tavola; il cane allora addenta una cocca della tovaglia e giù: tira per terra la tovaglia con tutto quel che c'era sopra, in un mare di cocci. Poi via a gambe levate per le scale, che nessuno poté raggiungerlo né vedere da che parte andasse. Tra gli invitati c'era uno scompiglio da non si dire. Dovettero sospendere il banchetto e la cosa fece assai rumore.

Quando fu il secondo banchetto il giovane disse al cane: — To', Fido, corri e fa' come ieri. — A rivedere il cane, la Principessa si mise a ridere dalla contentezza, ma il carbonaio, pieno di timore e sospetto, voleva assolutamente che il cane fosse cacciato a suon di busse. La Principessa invece lo difese con tutte le sue forze, e il carbonaio, per quanto di malanimo, non osò contraddirla. Anche stavolta, portata la zuppa in tavola, il cane lesto addenta la tovaglia, tira in terra ogni cosa e scappa più del vento. Guardie e servitori, dietro; ma ebbero un bell'affannarsi, lo persero di vista.

Al terzo banchetto, disse il giovane: — To', Fido, corri, e fa' lo stesso delle altre volte; ma stavolta, lasciati inseguire fin qui da me.

Il cane eseguì tutto a puntino, e le guardie dietro il cane arrivarono fino alla stanza del giovane, lo arrestarono e condussero davanti al Re. Il Re lo riconobbe: — Ma non sei tu quello che voleva salvare mia figlia dal Drago?

— Sì, sono io, Maestà, e l'ho salvata.

A quelle parole il carbonaio cominciò a vociare: — Non è vero! Il Drago l'ho ammazzato io con le mie mani: tant'è vero che ho portato io le sette teste! — e dié ordine che le sette teste fossero deposte ai piedi del Re.

Il giovane senza scomporsi si rivolse al Re e gli disse: — Se lui ha portato le sette teste, io, per non caricarmi tanto peso, ho portato solo le lingue. Guardiamo un po' se queste teste hanno le loro sette lingue nella bocca.

Le sette lingue non ce le trovarono. Allora il giovane tirò fuori di tasca il fazzoletto dove le aveva involte, e per filo e per segno raccontò com'era andata. Il carbonaio però non voleva darsi per vinto: pretese che le lingue si dovessero misurare ognuna al suo posto per vedere se ci stavano; e ogni volta che la prova riusciva, dalla rabbia scaraventava via di sotto il sedere uno dei sette cuscini, e quando fu all'ultimo sparì sotto la tavola e scappò. Ma lo presero subito e per comando del Re, seduta stante, fu impiccato nella piazza.

Tutti allegri, Re, sposa e convitati si sedettero a mensa a far baldoria, e conclusero le nozze. Poi venne notte, e ognuno andò a dormire. Appena giorno, il giovane si levò, aperse la finestra e vide dirimpetto una gran selva piena d'uccelli, e gli venne voglia d'andarvi a caccia. Ma la moglie lo scongiurò di non andare, perché era una selva incantata, e chi c'entrava non tornava più a casa. Il giovane, che più gli si diceva d'un pericolo, più gli veniva voglia di provare, prese il cavallo, il cane, la spada e lo schioppo, e se ne partì. Aveva già cacciato molti uccelli, quando si levò un temporale che pareva il finimondo, con lampi tuoni fulmini e saette, e l'acqua che veniva giù a bocca di barile. Il giovane, molle fino all'ossa, persa la strada con la notte che era scesa, vide una grotta e vi si rifugiò. Era una grotta piena di statue, statue di marmo bianco in diversi atteggiamenti. Ma il giovane stanco e fradicio non ci badò troppo; radunò della legna secca e con l'acciarino accese un po' di fuoco per asciugare i panni e cuocere gli uccelli.

Di lì a un po', nella grotta venne a cercar rifugio una vecchierella, fradicia di pioggia da capo a piedi, battendo i denti intirizzita, e pregò il giovane di lasciarla riscaldare al fuoco. Lui disse: — Venite pure, nonnina, che mi terrete compagnia.

La vecchierella si sedette e offrì al giovane del sale per gli uccelli arrostiti, della crusca per il cavallo, un osso per il cane e della sugna per ungere la spada; ma appena il giovane, il cavallo e il cane ebbero mangiato e la spada fu unta, tutti diventarono statue di sale, lì ferme dov'erano.

La Principessa, non vedendo tornare più suo marito, lo credette morto, e il Re addolorato diede ordine che la città si vestisse di nero.

Intanto nella casa del pescatore, dal momento in cui il figlio primogenito era partito, ogni giorno il padre e i fratelli guardavano il fiele appeso alla trave. Un giorno trovarono la cucina tutta allagata di sangue che pioveva giù dal fiele. Allora il secondogenito disse: — Il mio fratello maggiore o è morto o gli è successa una gran disgrazia. Vado a cercarlo. Addio. — Montò a cavallo, col cane, la spada e lo schioppo ad armacollo, e via al galoppo.

Dappertutto dove passava, il secondogenito domandava alla gente di suo fratello. — Uno che somiglia a me l'avete visto?

E tutti ridevano: — O bella! Non siete voi lo stesso dell'altra volta?

Così il giovane capiva che anche suo fratello maggiore era passato di lì, e andava avanti. Arrivò alla città reale, e quando la gente, tutta vestita di nero lo vide entrare, fece gran meraviglie. — Ma è lui, è lui! Allora è salvo! Evviva! Evviva il nostro Principe!

Lo condussero dal Re, e tutta la Corte, Principessa compresa, lo presero per il primogenito. Il Re gli fece una ramanzina che non finiva più e il secondogenito, facendo finta di niente, si scusò e fece la pace anche con la Principessa. E si seppe così ben rigirare tra domande e risposte, che riuscì a sapere tutto di suo fratello, delle sue nozze e della sparizione.

La notte andando a letto, il secondogenito si tolse la spada e la mise di taglio in mezzo al letto, dicendo alla Principessa che avrebbero dormito una da una parte uno dall'altra. La Principessa non capì bene perché, ma andarono a letto e s'addormentarono.

A bruzzolo, appena levato, anche lui aperse la finestra, e vide la selva lì di fronte e disse: — Voglio andare a caccia laggiù.

E la Principessa: — Ma non ti basta il pericolo che hai scansato una volta e l'ansia che m'hai fatto soffrire?

Lui non le diede retta e partì con cavallo cane spada e schioppo. Quel che era successo al primogenito successe anche a lui, e restò anche lui nella grotta tramutato in statua: e la Principessa non vedendolo tornare pensò che stavolta era perso per davvero, e la città di nuovo si vestì a lutto per comando del Re.

In casa del pescatore intanto la cucina s'era nuovamente allagata di sangue, colato giù dal fiele appeso alla trave. Il terzogenito non stette a pensarci su e partì alla ricerca dei fratelli, col cavallo il cane la spada lo schioppo, e via al galoppo. Cammin facendo anche lui domandava: — Sono mai passati di qui due giovani tali e quali come me?

E la gente: — Che tipo buffo siete! Venite sempre a chiedere la stessa cosa? Ma non siete sempre voi? Che matto!

Così il terzogenito sapeva d'esser sulla strada buona e arrivò alla città, dove fu ricevuto con gran festa, come un morto risuscitato, e il Re la Principessa la Corte lo credettero sempre il primogenito. Lui pure andò la sera a letto

con la Principessa e mise la spada in mezzo al letto e dormirono lui da una parte e lei dall'altra. E la mattina dalla finestra vide la selva e disse: — Vado a caccia.

La Principessa, ancora una volta a disperarsi: — Vuoi proprio andare in perdizione? È questo il bene che mi vuoi? Farmi morire di paura ogni volta!

Ma il terzogenito non vedeva l'ora di ritrovare i fratelli e partì. Rifugiatosi nella grotta per il temporale, guardò le statue una per una e vi riconobbe i due fratelli. Disse tra sé: "Qui c'è certo qualche inganno, starò con gli occhi aperti."

Aveva appena acceso il fuoco e stava arrostendo gli uccelli quando comparve la vecchina e tutta cerimoniosa gli chiese che la lasciasse scaldarsi, ma il giovane le lanciò un'occhiata storta e le disse: — Fatti in là, brutta strega, che accanto a me non ti ci voglio.

La vecchierella parve scombussolata a quell'accoglieza, e piagnucolando rispose: — Ma non avete proprio carità del prossimo? Eppure io ho da offrirvi come cenar meglio: del sale per gli uccelli arrosto, crusca per il cavallo, un osso per il cane e perfino della sugna per ungere le armi che non arrugginiscano.

Il giovane allora: — Vecchiaccia malandrina, a me non me la fai! — grida e le salta addosso, la butta per terra e con un ginocchio la tiene lì inchiodata, le strizza la gola con la mano sinistra, e con la destra sfodera la spada e gliela mette sul collo, dicendo a denti stretti: — Stregaccia infame! O mi rendi i fratelli o ti scanno in questo preciso momento!

La vecchierella cercava ancora di protestare che non aveva fatto mai male a nessuno, ma il giovane stava lì lì per segarle le canne della gola; sicché la vecchierella confessò tutto l'incantesimo e gli promise che l'avrebbe obbedito, pur d'aver salva la vita, e subito trasse di tasca un vaso d'unguento per ridar la vita alle statue. Il giovane di lasciarla andare non ci pensò nemmeno, e con la scimitarra alle reni la obbligò a far lei l'unzione delle statue. E una a una tutte le statue ridiventarono persone vive e la grotta ne fu piena. I fratelli appena si videro s'abbracciarono stretti e allegri, e tutti gli altri non sapevano trovar parole bastanti a ringraziare il terzogenito. In quel trambusto la strega cercò di svignarsela e quasi ci riusciva, se i tre fratelli non se ne fossero accorti. Le corsero addosso e le tagliarono la testa; l'incantesimo della selva fu rotto e il primogenito le prese il vaso dell'unto che rendeva la vita ai morti.

Nel ritorno alla città reale, tutti in un branco quei liberati dall'incanto parlavano tra loro, e i tre fratelli si raccontavano quel che era loro accaduto. Ma il primogenito quando sentì che gli altri fratelli avevano dormito con la Principessa sua moglie, fu preso dalla rabbia della gelosia, sfoderò la spada, e li ammazzò.

Aveva appena commesso questo delitto, che gli nacque in cuore un gran rimorso e voleva a ogni costo rivolgere la spada contro la sua gola, benché tutti quegli altri signori lo tenessero. Allora si ricordò di quel vaso d'unguento, unse le ferite dei fratelli morti ed ecco che s'alzano in piedi risanati e vispi come se nulla fosse stato. Pieno d'allegria il primogenito chiese loro perdono e loro gliel'accordarono dicendo che sbagliava, e spiegandogli della spada in mezzo al letto. E seguitarono il cammino finché giunsero dal Re.

Chiamarono la Principessa che dal gran piangere era diventata secca come una lucertola e che rimase confusa perché dei tre non sapeva più quale fosse suo marito. Ma il primogenito si fece riconoscere e presentò i fratelli, che il Re fece sposare a due figlie di quei nobiluomini liberati e li nominò Impiegati di Corte e fecero venire a Palazzo anche i vecchi pescatori.

(Toscana)

Un ragazzo s'era messo in testa d'andare a far fortuna. Salutò sua madre e andò in città a cercar lavoro. In quella città c'era un Re che aveva cento pecore e nessuno voleva andar da lui per pastore. Il ragazzo ci andò. Il Re gli disse: — Senti, qua ci sono le cento pecore. Domattina portale a pascolare in quel prato, ma non al di là di quel ruscello, perché c'è un serpente che le mangia. Se me le riporti a casa tutte ti do la buonamano, altrimenti ti licenzio su due piedi, se prima il serpente non t'ha mangiato.

Per andare in quel prato si passava sotto le finestre del Re, e c'era sua figlia affacciata. Vide il ragazzo, le piacque, e gli buttò una focaccia. Il pastore prese la focaccia al volo e se la portò con sé per mangiarla sul prato. Quando fu nel prato vide una pietra bianca in mezzo all'erba e si disse: "Ora mi siedo là per mangiare la focaccia della figlia del Re." Ma la pietra era al di là del ruscello. Il pastore non ci badò, saltò il ruscello e le pecore gli vennero dietro.

C'era l'erba alta, le pecore brucavano tranquille, e lui

seduto sulla pietra mangiava la focaccia. A un tratto, sentì dare un colpo sotto la pietra, che pareva andasse giù il mondo. Il ragazzo si guardò intorno, non vide nulla, e continuò a mangiare la focaccia. Di sotto alla pietra si sentì dare un colpo ancor più forte, e il pastore fece finta di niente. Si sentì dare un terzo colpo, e da sotto alla pietra venne fuori un serpente con tre teste, e in ogni bocca teneva una rosa e avanzava con le tre teste verso il ragazzo come volesse porgergli le rose. Il ragazzo stava per prendere le rose quando il serpente gli s'avventò contro con le tre bocche aperte, che poteva mangiarlo tutto in una volta in tre bocconi. Ma il pastorello, più svelto di lui, col bastone che aveva in mano gli mena una botta su una testa, una botta sull'altra, una botta sull'altra ancora, e tante gliene diede che l'ammazzò.

Poi gli tagliò le tre teste col falcetto; due se le mise nella cacciatora e una la schiacciò per vedere cosa c'era dentro. Dentro c'era una chiave di cristallo; il ragazzo alzò la pietra e trovò un uscio con una toppa di serratura. Il ragazzo ci mise dentro la chiave di cristallo e aperse. Si trovò in un magnifico palazzo tutto di cristallo. Da tutte le porte uscivano servitori di cristallo: — Buondì signor padrone, cosa comanda?

— Vi comando di condurmi a vedere tutti i miei tesori.

E loro lo condussero per le scale di cristallo e le torri di cristallo, e gli fecero vedere scuderie di cristallo con cavalli di cristallo, e armi e armature tutte di cristallo. E poi lo portarono a un giardino di cristallo, tra viali d'alberi di cristallo sui quali cantavano uccelli di cristallo, e aiuole in cui fiori di cristallo sbocciavano attorno a laghetti di cristallo. Il ragazzo colse un mazzolino di fiori di cristallo e se lo mise sul cappello. Alla sera, tornando con le pecore, la figlia del Re, affacciata alla finestra, gli disse: — Mi dai quei fiori che hai sul cappello?

— Sì che te li do — disse il pastore. — Sono fiori di cristallo, colti nel giardino di cristallo del mio castello tutto di cristallo. — E le tirò i fiori e lei li prese al volo.

L'indomani, tornato a quella pietra, schiacciò l'altra testa di serpente. C'era una chiave d'argento. Alzò la pietra, mise la chiave d'argento nella toppa ed entrò in un palazzo tutto d'argento, e accorsero servitori tutti d'argento dicendo: — Comandi, signor padrone! — e lo portarono a vedere cucine d'argento, in cui polli d'argento cuocevano su fuochi d'argento, e giardini d'argento in cui pavoni d'argento facevano la ruota. Il ragazzo colse un mazzolino di fiori d'argento e se lo mise sul cappello. E poi la sera lo diede alla figlia del Re che gliel'aveva chiesto.

Il terzo giorno schiacciò la terza testa e trovò una chiave d'oro. Mise la chiave nella toppa ed entrò in un palazzo tutto d'oro, e i servitori ai suoi comandi erano d'oro anch'essi dalla parrucca agli stivali, e i letti erano d'oro con tutte le lenzuola d'oro e il cuscino d'oro e il baldacchino d'oro, e nelle voliere volavano uccelli d'oro. In un giardino di aiuole d'oro e di fontane con zampilli d'oro, colse un mazzolino di fiori d'oro da mettere sul cappello, e la sera lo diede alla figlia del Re.

Accadde che il Re gettò un bando per la giostra, e chi vinceva la giostra aveva la mano della figlia. Il pastore aperse la porta con la chiave di cristallo, scese nel palazzo di cristallo e prese un cavallo di cristallo, con la briglia e la sella di cristallo, e così si presentò alla giostra, con un'armatura di cristallo e scudo e lancia di cristallo. Vinse tutti gli altri cavalieri e scappò via senz'essere riconosciuto.

L'indomani tornò su un cavallo d'argento con paramenti d'argento e la sua armatura era d'argento e la sua lancia e il suo scudo d'argento. Vinse tutti e scappò via sempre sconosciuto. Il terzo giorno tornò su un cavallo d'oro, tutto armato d'oro. Vinse anche la terza volta e la Principessa disse: — Io so chi è: è uno che m'ha regalato fiori di cristallo, d'argento e d'oro, dei giardini dei suoi castelli di cristallo, d'argento e d'oro.

E allora si sposarono e il pastorello divenne Re.

E tutti sono stati allegri e contenti,
E a me che ero a vedere non m'hanno dato niente.

(Monferrato)

Il tignoso

Un Re non aveva figli e n'era triste. In preda a questa tristezza, cavalcava per un bosco quando incontrò un signore su un cavallo bianco.

— Perché tanta tristezza, Maestà? — chiese il cavaliere.

— Non ho figli — disse il Re — e il mio Regno si perderà.

— Se volete avere un figlio — disse il cavaliere — firmate con me un contratto: che quando questo figlio avrà quindici anni, voi verrete qui nel bosco con lui e me lo darete.

— Pur d'averlo — disse il Re — firmerei qualsiasi patto — e così il patto fu firmato, e il figlio nacque.

Era un bambino coi capelli d'oro e una croce d'oro in petto. Crebbe di giorno in giorno, sia in statura sia in sapienza. Prima dei quindici anni aveva già finito tutti gli studi, ed era esperto nell'arte delle armi. Quando mancavano tre giorni al compiersi dei quindici anni, il Re si rinchiuse nelle sue stanze e prese a piangere. La Regina non sapeva darsi ragione di quel pianto, finché il Re non le raccontò del contratto che stava per scadere, e allora pianse anch'essa senza potersi più frenare. Il figlio vedeva i genitori in lagrime, senza capire, e il padre disse: — Figliolo, ora ti porterò nel bosco, e ti consegnerò al tuo padrino, che ha sancito con un patto la tua nascita.

Così padre e figlio taciturni cavalcarono nel bosco. S'udì un altro scalpiccio di zoccoli; era il signore sul suo bianco cavallo. Il giovane passò al suo fianco, e, senza dir parola, il padre piangendo si voltò e tornò indietro. Il giovane continuò a cavalcare a fianco del signore sconosciuto, per luoghi del bosco mai prima percorsi. Finché non giunsero a un immenso palazzo, e il signore disse: — Figlioccio, qui dentro abiterai e sarai padrone. Tre cose sole ti proibisco: d'aprire questa finestrella, d'aprire quest'armadio, e di scendere nelle scuderie.

Il padrino a mezzanotte usciva sul suo cavallo bianco, e non tornava che all'alba. Il figlioccio dopo tre notti, quando restò solo, fu preso dalla curiosità d'aprire la finestrella proibita. L'aperse: fuori della finestra c'era fuoco e fiamme, perché era la finestra dell'Inferno. Il giovane guardò nell'Inferno per vedere se trovava qualcuno che conoscesse: e riconobbe la sua nonna. Anche la nonna lo riconobbe e gli gridò di là in fondo: — Nipote, nipote mio! Chi t'ha portato qua?

E il giovane rispose: — Il mio padrino!

— No, nipote mio — disse la nonna — quello non è il tuo padrino: è il Demonio. Scappa, nipote. Devi aprire l'armadio, prendere con te un setaccio, un sapone, un pettine. Poi scendi nelle scuderie e ritroverai il tuo cavallo. Fuggi, e quando il Demonio t'inseguirà, tu getta quei tre oggetti. Passerai il fiume Giordano, e allora non potrà più raggiungerti.

Dopo un minuto, già il giovane fuggiva sul suo cavallo chiamato Rafanello. Quando il padrino tornò e non trovò né lui né il cavallo, né gli oggetti nell'armadio, se la prese con le anime dannate e fece un inferno nell'Inferno. Poi cominciò l'inseguimento del fuggiasco. Il cavallo bianco del padrino correva cento volte più veloce di Rafanello, e l'avrebbe certo raggiunto, ma il figlioccio buttò a terra il pettine e il pettine si trasformò in un bosco così fitto che il padrino dovette penare un bel pezzo per districarsi. Quando si fu districato e riprese l'inseguimento, il figlioccio si lasciò quasi raggiungere e poi buttò il setaccio: il setaccio si trasformò in una palude, da cui il padrino non riuscì a tirarsi fuori che a stento, dopo molto sguazzare. L'aveva quasi raggiunto per la terza volta, quando il figlioccio buttò il sapone: e il sapone si trasformò in una montagna scivolosa, che da ogni parte il cavallo bianco puntasse gli zoccoli, erano più i passi che faceva indietro di quelli che faceva avanti. Intanto, il figlioccio era giunto sulla riva del fiume Giordano, e spronò Rafanello a buttarsi giù nella corrente. Rafanello a nuoto lo trasportò all'altra riva, e intanto il padrino che aveva valicato la montagna, non potendolo raggiungere perché era già nelle acque del Giordano, si sfogava facendo scoppiare tuoni, fulmini, vento, pioggia e grandine. Ma già il giovane risaliva sull'altra riva e cavalcava verso la nobile città di Portogallo.

A Portogallo, per non farsi riconoscere, il giovane pensò di nascondere i suoi capelli d'oro, e comprò da un macellaio una vescica di bue. Se la mise in testa, e così sembrava che fosse tignoso. Legò Rafanello in un prato, e nessuno poteva avvicinarsi a rubarlo, perché il cavallo, essendo stato nelle scuderie del Demonio, aveva imparato a mangiare i cristiani.

Con la vescica in testa, il giovane passeggiava davanti al palazzo del Re. Lo vide il giardiniere e, saputo che cercava lavoro, lo prese per garzone. La moglie del giardiniere, quando il marito lo condusse a casa, cominciò a litigare perché non voleva in casa un tignoso. Il marito, per farla contenta, lo mandò a stare in una capanna di legno lì vicino, e gli disse che non doveva più mettere piede in casa sua.

La notte, il giovane uscì zitto zitto dalla capanna e andò a slegare Rafanello. Si rivestì d'un abito rosso da Re, si tolse la vescica dal capo e la sua capigliatura d'oro splendette sotto la luna. A cavallo di Rafanello, si mise a fare gli esercizi per il giardino reale, saltando le siepi e le vasche, e faceva prove di destrezza come quella di gettare per aria tre anelli risplendenti che portava al dito medio, all'anulare e all'indice, dono di sua madre, e riprenderli sulla punta della spada.

Intanto, la figlia del Re di Portogallo stava affacciata alla finestra a guardare il giardino sotto la luna; e vide questo giovane cavaliere coi capelli d'oro, vestito di rosso, fare tutti quegli esercizi. — Chi può essere? Come è potuto entrare nel giardino? — si disse. — Voglio guardare da che parte esce. — Così lo vide, prima dell'alba, uscire da un cancello, che dava sul prato dove teneva legato il cavallo. Stette ancora in attesa, ma dopo poco vide entrare dallo stesso cancello il tignoso, garzone del giardiniere, e chiuse la finestra per non essere veduta.

La notte dopo si mise alla finestra ad aspettare. E vide il tignoso che usciva dalla capanna e dal cancello, e dopo poco entrò il cavaliere dai capelli d'oro, tutto vestito di bianco stavolta, che riprese a fare i suoi esercizi. Prima dell'alba uscì, e dopo poco ritornò il tignoso. La Reginella cominciò a sospettare che il tignoso avesse qualcosa a che fare col cavaliere.

La terza notte, successero tutte le stesse cose; solo che il cavaliere era vestito di nero. La Reginella si disse: "Il tignoso e il cavaliere sono la stessa persona."

L'indomani ella scese in giardino e disse al tignoso che le portasse dei fiori. Il tignoso fece tre mazzolini: uno più grande, uno così così e uno più piccolo; li mise in un cestino e glieli portò. Il mazzolino più grande era infilato nell'anello del dito medio, il mazzolino così così era infilato nell'anello dell'anulare, e il mazzolino piccolo nell'anello del mignolo. La Reginella riconobbe gli anelli e gli restituì il cestino pieno di doppie d'oro.

Il tignoso riportò il cestino al giardiniere con le doppie e tutto. Il giardiniere cominciò a litigare con la moglie.
— Vedi? — le diceva. — Tu non vuoi che metta piede in casa nostra e la Reginella lo chiama nelle sue stanze e gli riempie il cestino di doppie d'oro!

L'indomani, la Reginella volle che il tignoso le portasse degli aranci.

Il tignoso gliene portò tre: uno maturo, uno così così e uno acerbo e la Reginella li mise in tavola. Il Re disse:
— Perché portate in tavola gli aranci acerbi?

— Li ha portati il tignoso — disse la Reginella.

— Sentiamo questo tignoso, fatelo salire — disse il Re, e, quando il tignoso fu condotto al suo cospetto gli chiese perché aveva colto quei tre aranci a quel modo.

Rispose il tignoso: — Maestà, voi avete tre figlie, una è da sposare, l'altra così così, e l'ultima può aspettare ancora.

— È giusto — disse il Re e proclamò un bando:

Tutti coloro che pretendono la mano della mia figlia maggiore passino in rivista e chi avrà da lei il suo fazzoletto sarà il prescelto.

Ci fu una gran parata sotto le finestre reali. Prima passarono tutti i figli di famiglie regnanti, poi tutti i baroni, poi tutti i cavalieri, poi l'artiglieria e poi i fanti. Ultimo degli ultimi, veniva il tignoso. E la Reginella diede il fazzoletto a lui.

Quando seppe che la figlia aveva scelto il tignoso, il Re

la cacciò di casa. Lei se ne andò a stare nella capanna del tignoso. Il tignoso le cedette il suo letto e lui s'accomodò in un giaciglio accanto al fuoco, perché – disse – un tignoso non può avvicinarsi alla figlia del Re. "Allora, è un tignoso davvero" pensò la Reginella. "Mamma mia, cos'ho fatto!" Ed era già pentita.

Venne una guerra fra il Re di Portogallo e il Re di Spagna e tutti andarono a combattere. Dissero al tignoso: — Tutti vanno alla guerra e tu che ti sei preso la figlia del Re non ci vai? — E avevano già combinato di dargli un cavallo zoppo per farlo morire in battaglia. Il tignoso prese il cavallo zoppo, andò al prato dov'era legato Rafanello, si vestì tutto di rosso, mise una corazza che gli aveva regalato suo padre, e a cavallo di Rafanello andò alla guerra. Il Re di Portogallo si trovava attorniato da nemici: arrivò il cavaliere vestito di rosso, disperse i nemici e gli salvò la vita. In campo, nessun nemico gli si poteva avvicinare: menava fendenti a dritta a manca e il suo cavallo metteva paura a ogni altra bestia. Così, quel giorno la battaglia fu vinta.

La figlia del Re andava ogni sera a palazzo a sentire le nuove della guerra. E le raccontarono di quel cavaliere vestito di rosso, con i capelli tutti d'oro, che aveva salvato la vita al Re e fatto vincere la battaglia. Lei pensò: "È il mio cavaliere, quello che vedevo la notte in giardino! E io sono andata a prendermi il tignoso!" Tornò tristemente alla sua capanna e trovò il tignoso addormentato accanto al fuoco, tutto rincantucciato nel suo vecchio mantello. La Reginella non poté trattenere le lagrime.

All'alba, il tignoso s'alzò, prese il cavallo zoppo e andò alla guerra. Ma prima, come al solito, passò dal prato a cambiare il cavallo zoppo con Rafanello e i suoi stracci con un vestito bianco e con la corazza e a togliersi la vescica di bue dai suoi capelli d'oro. Anche quel giorno,

la battaglia fu vinta per l'intervento del cavaliere vestito di bianco.

La figlia del Re, sentendo la sera queste nuove notizie, e ritrovando il tignoso a dormire accanto al fuoco, si disperava sempre più della sua mala sorte.

Il terzo giorno, il cavaliere coi capelli d'oro si presentò in campo vestito tutto di nero. Stavolta c'era in campo il Re di Spagna in persona coi suoi sette figli maschi. E il cavaliere coi capelli d'oro si mise solo contro tutti e sette. Ne ammazzò uno, ne ammazzò due, alla fine restò vincitore su tutti, ma il settimo prima di morire lo ferì con la spada al braccio destro. Alla fine della battaglia il Re di Portogallo voleva che fosse medicato, ma già il cavaliere era scomparso, come le altre sere.

La figlia del Re quando seppe che il cavaliere coi capelli d'oro era stato ferito ne provò un gran dolore, perché era sempre innamorata di quello sconosciuto. E tornò a casa più amareggiata che mai contro il tignoso, e si mise a guardarlo con disprezzo, mentre stava rannicchiato accanto al fuoco. Così guardandolo, s'accorse che il mantello sbottonato lasciava intravedere un braccio fasciato, che sotto il mantello c'era un prezioso vestito di velluto nero, e che lì sotto alla vescica di bue spuntava una ciocca di capelli d'oro.

Il giovane, ferito, non s'era potuto cambiare come le altre sere e s'era buttato là, mezzo morto dalla fatica.

La figlia del Re soffocò un grido di sorpresa e gioia e apprensione insieme, e, silenziosa per non risvegliarlo, uscì dalla capanna e corse da suo padre: — Venite a vedere chi ha vinto le battaglie per voi! Venite a vedere!

Il Re con dietro tutta la Corte si recò alla capanna di legno. — Sì, è lui! — disse il Re riconoscendo nel finto tignoso il cavaliere. Lo svegliarono e volevano portarlo in trionfo, ma la figlia del Re aveva chiamato il cerusico a me-

dicargli la ferita. Il Re voleva celebrare all'istante le nozze, ma il giovane disse: — Prima devo andarlo a dire a
mio padre e a mia madre perché anch'io sono figlio di Re.

Il padre e la madre vennero e ritrovarono il figlio che
credevano morto, e tutti si sedettero insieme al banchetto di nozze.

(Abruzzo)

FIABE DI MARE

COLA PESCE

Una volta a Messina c'era una madre che aveva un figlio a nome Cola, che se ne stava a bagno nel mare mattina e sera. La madre a chiamarlo dalla riva: — Cola! Cola! Vieni a terra, che fai? Non sei mica un pesce?

E lui, a nuotare sempre più lontano. Alla povera madre veniva il torcibudella, a furia di gridare. Un giorno, la fece gridare tanto che la poveretta, quando non ne poté più di gridare, perse la pazienza ed esclamò: — Cola! Che tu possa diventare un pesce!

Non l'avesse mai detto! Si vede che quel giorno le porte del Cielo erano aperte, e si realizzavano tutti i desideri: in un momento, Cola diventò mezzo uomo mezzo pesce, con le dita palmate come un'anatra e la gola da rana. In terra Cola non ci tornò più e la madre se ne disperò tanto che dopo poco tempo morì.

La voce che nel mare di Messina c'era uno mezzo uomo e mezzo pesce arrivò fino al Re; e il Re ordinò a tutti i marinai che chi vedeva Cola Pesce gli dicesse che il Re gli voleva parlare.

Un giorno, un marinaio, andando in barca al largo, se lo vide passare vicino nuotando. — Cola! — gli disse. — C'è il Re di Messina che ti vuole parlare!

E Cola Pesce subito nuotò verso il palazzo del Re.

Il Re, al vederlo, gli fece buon viso. — Cola Pesce — gli disse — tu che sei così bravo nuotatore, dovresti fare un giro tutt'intorno alla Sicilia, e sapermi dire dov'è il mare più fondo e cosa ci si vede!

Cola Pesce ubbidì e si mise a nuotare tutt'intorno alla Sicilia. Dopo un poco di tempo fu di ritorno. Raccontò che in fondo al mare aveva visto montagne, valli, caverne e pesci di tutte le specie, ma aveva avuto paura solo passando dal Faro, perché lì non era riuscito a trovare il fondo.

— E allora Messina su cos'è fabbricata? — chiese il Re.
— Devi scendere giù a vedere dove poggia.

Cola si tuffò e stette sott'acqua un giorno intero. Poi ritornò a galla e disse al Re: — Messina è fabbricata su uno scoglio, e questo scoglio poggia su tre colonne: una sana, una scheggiata e una rotta. O Messina, Messina, un dì sarai meschina!

Il Re aveva quel pensiero che non gli dava pace, che al Capo del Faro il mare era senza fondo. Disse: — Cola, devi dirmi quant'è profondo il mare qui al Faro, più o meno.

Cola calò giù e ci stette due giorni, e quando tornò su disse che il fondo non l'aveva visto, perché c'era una colonna di fumo che usciva da sotto uno scoglio e intorbidava l'acqua.

Il Re, che non ne poteva più dalla curiosità, disse: — Gettati dalla cima della Torre del Faro.

La Torre era proprio sulla punta del capo e nei tempi andati ci stava uno di guardia, e quando c'era la corrente che tirava suonava una tromba e issava una bandiera per avvisare i bastimenti che passassero al largo. Cola Pesce si tuffò di lassù in cima. Il Re aspettò un giorno, ne aspettò

due, ne aspettò tre, ma Cola non si rivedeva. Finalmente venne fuori, ma era pallido come un morto.

— Che c'è, Cola? — chiese il Re.

— C'è che sono quasi morto di spavento — disse Cola. — Ho visto un pesce, che solo nella bocca poteva entrarci intero un bastimento! Per non farmi inghiottire mi son dovuto nascondere dietro una delle tre colonne che reggono Messina!

Il Re stette a sentire a bocca aperta; ma quella maledetta curiosità di sapere quant'era profondo il Faro non gli era passata. E Cola: — No, Maestà, non mi tuffo più, ho paura.

Visto che non riusciva a convincerlo, il Re si levò la corona dal capo, tutta piena di pietre preziose che abbagliavano lo sguardo, e la buttò in mare. — Va' a prenderla, Cola!

— Cos'avete fatto, Maestà? La corona del Regno!

— Una corona che non ce n'è altra al mondo — disse il Re. — Cola, devi andarla a prendere!

— Se voi così volete, Maestà — disse Cola — scenderò. Ma il cuore mi dice che non tornerò più su. Datemi una manciata di lenticchie. Se scampo, tornerò su io; ma se vedete venire a galla le lenticchie, è segno che io non torno più.

Gli diedero le lenticchie, e Cola scese in mare.

Aspetta, aspetta; dopo tanto aspettare, vennero a galla le lenticchie. Cola Pesce s'aspetta ancora che torni: sta in fondo al mare, con la corona in testa, Re dei pesci, dei polpi, dei granchi e dei calamaretti.

(Sicilia)

Il Principe granchio

Una volta c'era un pescatore che non riusciva mai a pescare abbastanza da comprare la polenta per la sua famigliola. Un giorno, tirando le reti, sentì un peso da non poterlo sollevare, tira e tira ed era un granchio così grosso che non bastavano due occhi per vederlo tutto. — Oh, che pesca ho fatto, stavolta! Potessi comprarmici la polenta per i miei bambini!

Tornò a casa col granchio in spalla, e disse alla moglie di mettere la pentola al fuoco che sarebbe tornato con la polenta. E andò a portare il granchio al palazzo del Re.

— Sacra Maestà — disse al Re — sono venuto a vedere se mi fa la grazia di comprarmi questo granchio. Mia moglie ha messo la pentola al fuoco ma non ho i soldi per comprare la polenta.

Rispose il Re: — Ma cosa vuoi che me ne faccia di un granchio? Non puoi andarlo a vendere a qualcun altro?

In quel momento entrò la figlia del Re: — Oh che bel granchio, che bel granchio! Papà mio, compramelo, compramelo, ti prego. Lo metteremo nella peschiera insieme con i cefali e le orate.

Questa figlia del Re aveva la passione dei pesci e se ne stava delle ore seduta sull'orlo della peschiera in giardino, a guardare i cefali e le orate che nuotavano. Il padre non vedeva che per i suoi occhi e la contentò. Il pescatore mise il granchio nella peschiera e ricevette una borsa di monete d'oro che bastava a dar polenta per un mese ai suoi figlioli.

La Principessa non si stancava mai di guardare quel granchio e non s'allontanava mai dalla peschiera. Aveva imparato tutto di lui, delle abitudini che aveva, e sapeva anche che da mezzogiorno alle tre spariva e non si sapeva dove andasse. Un giorno la figlia del Re era lì a contemplare il suo granchio, quando sentì suonare la campanella. Si affacciò al balcone e c'era un povero vagabondo che chiedeva la carità.

Gli buttò una borsa di monete d'oro, ma il vagabondo non fu lesto a prenderla al volo e gli cadde in un fosso. Il vagabondo scese nel fosso per cercarla, si cacciò sott'acqua e si mise a nuotare. Il fosso comunicava con la peschiera del Re attraverso un canale sotterraneo che continuava fino a chissà dove. Seguitando a nuotare sott'acqua, il vagabondo si trovò in una bella vasca, in mezzo a una gran sala sotterranea tappezzata di tendaggi, e con una tavola imbandita. Il vagabondo uscì dalla vasca e si nascose dietro i tendaggi. A mezzogiorno in punto, nel mezzo della vasca spuntò fuori dall'acqua una Fata seduta sulla schiena d'un granchio. La Fata e il granchio saltarono nella sala, la Fata toccò il granchio con la sua bacchetta, e dalla scorza del granchio uscì fuori un bel giovane. Il giovane si sedette a tavola, la Fata batté la bacchetta, e nei piatti comparvero le vivande e nelle bottiglie il vino. Quando il giovane ebbe mangiato e bevuto, tornò nella scorza di granchio, la Fata lo toccò con la bacchetta e il granchio la riprese in groppa, s'immerse nella vasca e scomparve con lei sott'acqua.

Allora il vagabondo uscì da dietro ai tendaggi, si tuffò anche lui nella vasca e nuotando sott'acqua andò a sbucare nella peschiera del Re. La figlia del Re che era lì a guardare i suoi pesci, vide affiorare la testa del vagabondo e disse: — Oh: cosa fate voi qui?

— Taccia, padroncina — le disse il vagabondo — ho da raccontarle una cosa meravigliosa. — Uscì fuori e le raccontò tutto.

— Adesso capisco dove va il granchio da mezzogiorno alle tre! — disse la figlia del Re. — Bene, domani a mezzogiorno andremo insieme a vedere.

Così l'indomani, nuotando per il canale sotterraneo, dalla peschiera arrivarono alla sala e si nascosero tutti e due dietro i tendaggi. Ed ecco che a mezzogiorno spunta fuori la Fata in groppa al granchio. La Fata batte la bacchetta e dalla scorza del granchio esce fuori il bel giovane e va a mangiare. Alla Principessa, se il granchio già le piaceva, il giovane uscito dal granchio le piaceva ancora di più, e subito se ne sentì innamorata.

E vedendo che vicino a lei giaceva la scorza del granchio vuota, ci si cacciò dentro, senza farsi vedere da nessuno.

Quando il giovane rientrò nella scorza di granchio ci trovò dentro quella bella ragazza. — Cos'hai fatto? — le disse, sottovoce — se la Fata se n'accorge ci fa morire tutt'e due.

— Ma io voglio liberarti dall'incantesimo! — gli disse, anche lei pianissimo, la figlia del Re. — Insegnami cosa devo fare.

— Non è possibile — disse il giovane. — Per liberarmi ci vorrebbe una ragazza che m'amasse e fosse pronta a morire per me.

La Principessa disse: — Sono io quella ragazza!

Intanto che si svolgeva questo dialogo dentro la scorza di granchio, la Fata si era seduta in groppa, e il giovane manovrando le zampe del granchio come al solito, la trasportava per le vie sotterranee verso il mare aperto, senza che essa sospettasse che insieme a lui era nascosta la figlia del Re. Lasciata la Fata e tornando a nuotare verso la peschiera, il Principe – perché era un Principe – spiegava alla sua innamorata, stretti insieme dentro la scorza di granchio, cosa doveva fare per liberarlo: — Devi andare su uno scoglio in riva al mare e metterti a suonare e cantare. La Fata va matta per la musica e uscirà dal mare a ascoltarti e ti dirà: «Suoni, bella giovane, mi piace tanto.» E tu risponderai: «Sì che suono, basta che lei mi dia quel fiore che ha in testa.» Quando avrai quel fiore in mano, sarò libero, perché quel fiore è la mia vita.

Intanto il granchio era tornato alla peschiera e lasciò uscire dalla scorza la figlia del Re.

Il vagabondo era rinuotato via per conto suo e, non trovando più la Principessa, pensava d'essersi messo in un bel guaio, ma la giovane ricomparve fuori dalla peschiera, e lo ringraziò e compensò lautamente. Poi andò dal padre e gli disse che voleva imparare la musica e il canto. Il Re, che la contentava in tutto, mandò a chiamare i più gran musici e cantanti a darle lezioni.

Appena ebbe imparato, la figlia disse al Re: — Papà, ho voglia d'andare a suonare il violino su uno scoglio in riva al mare.

— Su uno scoglio in riva al mare? Sei matta? — ma come al solito la accontentò, e la mandò con le sue otto damigelle vestite di bianco. Per prevenire qualsiasi pericolo, la fece seguire da lontano da un po' di truppa armata.

Seduta su uno scoglio, con le otto damigelle vestite di bianco, su otto scogli intorno, la figlia del Re suonava il

violino. E dalle onde venne su la Fata. — Come suona bene! — le disse. — Suoni, suoni che mi piace tanto!

La figlia del Re le disse: — Sì che suono, basta che lei mi regali quel fiore che porta in testa, perché io vado matta per i fiori.

— Glielo darò se lei è capace d'andarlo a prendere dove lo butto.

— E io ci andrò — e si mise a suonare e cantare. Quando ebbe finito, disse: — Adesso mi dia il fiore.

— Eccolo — disse la Fata e lo buttò in mare, più lontano che poteva.

La Principessa lo vide galleggiare tra le onde, si tuffò e si mise a nuotare. — Padroncina, padroncina! Aiuto, aiuto! — gridarono le otto damigelle ritte sugli scogli coi veli bianchi al vento. Ma la Principessa nuotava, nuotava, scompariva tra le onde e tornava a galla, e già dubitava di poter raggiungere il fiore quando un'ondata glielo portò proprio in mano.

In quel momento sentì una voce sotto di lei che diceva: — M'hai ridato la vita e sarai la mia sposa. Ora non aver paura: sono sotto di te e ti trasporterò io a riva. Ma non dire niente a nessuno, neanche a tuo padre. Io devo andare ad avvertire i miei genitori ed entro ventiquattr'ore verrò a chiedere la tua mano.

— Sì, sì, ho capito — lei gli rispose, soltanto, perché non aveva più fiato, mentre il granchio sott'acqua la trasportava verso riva.

Così, tornata a casa, la Principessa disse al Re che s'era tanto divertita, e nient'altro.

L'indomani alle tre, si sente un rullo di tamburi, uno squillo di trombe, uno scalpitio di cavalli: si presenta un maggiordomo a dire che il figlio del suo Re domanda udienza.

Il Principe fece al Re regolare domanda della mano della Principessa e poi raccontò tutta la storia. Il Re ci restò un po' male perché era all'oscuro di tutto; chiamò la figlia e questa arrivò correndo e si buttò nelle braccia del Principe: — Questo è il mio sposo, questo è il mio sposo! — e il Re capì che non c'era altro da fare che combinare le nozze al più presto.

(Venezia)

Un Re fece fare la grida nelle piazze che a chi gli avesse riportato la sua figlia sparita gli avrebbe dato una fortuna. Ma la grida non aveva effetto perché nessuno sapeva dove poteva esser andata a finire questa ragazza: l'avevano rapita una notte e non c'era posto sulla terra che non avessero frugato per cercarla.

A un capitano di lungo corso venne l'idea che se non si trovava in terra si poteva trovare in mare, e armò una nave apposta per partire alla ricerca. Ma quando volle ingaggiare l'equipaggio, non trovava marinai: perché nessuno aveva voglia di partire per un viaggio pericoloso, che non si sapeva quando sarebbe finito.

Il capitano era sul molo e aspettava, e nessuno s'avvicinava alla sua nave, nessuno osava salire per primo. Sul molo c'era anche Baciccin Tribordo che era conosciuto come un vagabondo e un uomo da bicchieri, e nessuno lo prendeva sulle navi: — Di', ci vuoi venire tu, sulla mia nave? — gli fece il capitano.

— Io sì che voglio.

— Allora sali — e Baciccin Tribordo salì per primo. Così anche gli altri si fecero coraggio e salirono a bordo.

Sulla nave Baciccin Tribordo se ne stava sempre con le mani in tasca a rimpiangere le osterie, e tutti brontolavano contro di lui, perché il viaggio non si sapeva quando sarebbe finito, i viveri erano scarsi e dovevano tenere a bordo un fa-niente come lui. Il capitano decise di sbarazzarsene. — Vedi quell'isolotto? — gli disse, indicandogli uno scoglio isolato in mezzo al mare. — Scendi nella scialuppa e va' a esplorarlo. Noi incrociamo qui intorno.

Baciccin Tribordo scese nella scialuppa e la nave andò via a tutte vele e lo lasciò solo in mezzo al mare. Baciccin s'avvicinò allo scoglio. Nello scoglio c'era una caverna e lui entrò. In fondo alla caverna c'era legata una bellissima ragazza, ed era la figlia del Re. — Come avete fatto a trovarmi? — disse a Baciccin Tribordo.

— Andavo a pesca di polpi — disse Baciccin.

— È un polpo enorme che m'ha rapita e mi tiene prigioniera — disse la figlia del Re. — Fuggite, prima che arrivi! Ma dovete sapere, che questo polpo per tre ore al giorno si trasforma in triglia, e allora è facile pescarla, ma bisogna ammazzarla subito perché altrimenti si trasforma in gabbiano e vola via.

Baciccin Tribordo si nascose sullo scoglio, lui e la barca. Dal mare uscì il polpo, ed era enorme e con ogni branca poteva fare il giro dell'isola, e s'agitava con tutte le sue ventose, perché aveva sentito che c'era un uomo sullo scoglio. Ma venne l'ora in cui doveva trasformarsi in pesce e tutt'a un tratto diventò triglia e sparì in mare. Allora Baciccin Tribordo gettò le reti e ogni volta che le tirava c'eran dentro muggini, storioni, dentici e alla fine apparve, tutta sussultante, anche la triglia. Baciccin levò subito il remo per darle un colpo da ammaz-

zarla, ma invece della triglia colpì il gabbiano che s'era levato a volo dalla rete, e la triglia non c'era più. Il gabbiano non poteva volare perché il remo gli aveva rotto un'ala, allora si ritrasformò in polpo, ma aveva le branche tutte piene di ferite e buttava fuori un sangue nero. Baciccin gli fu sopra e lo finì a colpi di remo. La figlia del Re gli diede un anello col diamante in segno di perpetua gratitudine.

— Vieni, che ti porto da tuo padre — disse lui, e la fece salire nella barca. Ma la barca era piccola, ed erano in mezzo al mare. Remarono, remarono, e videro lontano un bastimento. Baciccin alzò in cima a un remo la veste della figlia del Re. Dalla nave li videro e li presero a bordo. Era la stessa nave da cui Baciccin era stato abbandonato. A vederlo tornare con la figlia del Re il capitano cominciò a dire: — O povero Baciccin Tribordo! E noi che ti credevamo perduto, t'abbiamo tanto cercato! E tu hai trovato la figlia del Re! Beviamo, festeggiamo la tua vittoria! — A Baciccin Tribordo non sembrava vero, tanto tempo era rimasto senza assaggiare un goccio di vino.

Erano già quasi in vista del porto da cui erano partiti. Il capitano fece bere Baciccin, e lui bevve; bevve fino a che non cascò giù ubriaco morto. Allora il capitano disse alla figlia del Re: — Non direte mica a vostro padre che chi v'ha liberato è quell'ubriacone! Dovete dirgli che vi ho liberato io, perché io sono il capitano della nave, e quello là è un mio uomo che ho comandato io di fare quel che ha fatto.

La figlia del Re non disse né sì né no. — So io quel che dirò — rispondeva. E il capitano allora pensò di farla finita una volta per tutte con Baciccin Tribordo. Quella stessa notte lo presero, ubriaco com'era e lo buttarono in mare. All'alba il bastimento arrivò in vista del porto; fecero segnali con le bandiere che portavano la figlia del Re sana e salva, e sul molo c'era la banda che suonava e il Re con tutta la Corte.

Furono fissate le nozze della figlia del Re col capitano. Il giorno delle nozze nel porto i marinai vedono uscire dall'acqua un uomo coperto d'alghe verdi dalla testa ai piedi, con pesci e granchiolini che gli uscivano dalle tasche e dagli strappi del vestito. Era Baciccin Tribordo. Sale a riva, e tutto parato d'alghe che gli coprono la testa e il corpo e strascicano per terra, cammina per la città. Proprio in quel momento avanzava il corteo nuziale, e si trova davanti l'uomo verde d'alghe. Il corteo si ferma. — Chi è costui? — chiede il Re. — Arrestatelo! — S'avanzano le guardie, ma Baciccin Tribordo alzò una mano e il diamante dell'anello scintillò al sole.

— L'anello di mia figlia! — disse il Re.

— Sì, è questo il mio salvatore — disse la figlia — è questo il mio sposo.

Baciccin Tribordo raccontò la sua storia; il capitano fu arrestato. Verde d'alghe com'era si mise vicino alla sposa vestita di bianco e fu unito a lei in matrimonio.

(Liguria)

Marito e moglie avevano un bambino, ed erano molto devoti a San Michele Arcangelo: tutti gli anni gli facevano la festa. Morì il marito, e la moglie con i pochi soldi che le rimanevano ogni anno faceva la festa a San Michele Arcangelo. Venne un anno in cui non sapeva più cosa vendere per fare questa festa, allora prese il bambino e andò a venderlo al Re.

— Maestà — disse al Re — vuole comprare questo mio bambino? Magari per dodici tarì, per quel che vuol darmi, basta che possa fare la festa a San Michele Arcangelo.

Il Re le diede cent'onze e si tenne il bambino. Poi pensò: "Guarda un po', questa donna pur di fare la festa a San Michele Arcangelo si vende suo figlio, e io che sono Re non gli faccio niente." Allora ordinò di costruire una cappella, comprò una statua di San Michele Arcangelo e gli fece festa; ma fatta la festa mise un velo sulla statua e non ci pensò più.

Il bambino, che si chiamava Peppi, cresceva al Palazzo e giocava con la figlia del Re che era grande come lui. Così crebbero insieme giorno per giorno, e quando furono cresciuti s'innamorarono, finché i Consiglieri non dissero al Re: — Maestà, che succede? Non vorrà mica dare sua figlia in moglie a quel poveraccio?

Il Re disse: — E cosa posso fare? Lo posso mandar via?

— Faccia come diciamo noi — dissero i Consiglieri — lo mandi a far mercanzia con un bastimento, il più vecchio e sconquassato che ci sia. Lo faccia lasciare solo in mezzo al mare; così s'annega e siamo a posto.

Al Re piacque l'idea, e disse a Peppi: — Guarda, devi andare a fare mercanzia. Hai tre giorni di tempo per caricare il tuo bastimento.

Il ragazzo passava la notte a pensare cosa doveva caricare sul bastimento per fare buoni affari; la prima notte non gli venne in mente nulla, la seconda neppure, la terza, pensa che ti pensa, si mise a chiamare San Michele Arcangelo. Apparve San Michele Arcangelo e gli disse: — Non ti scoraggiare: di' al Re che ti carichi un bastimento di sale.

L'indomani Peppi si alzò tutto contento. Il Re gli chiese: — Allora, Peppi, cos'hai pensato?

E lui: — Sua Maestà voglia caricarmi un bastimento di sale.

I Consiglieri se ne rallegrarono: — Bene, con quel carico il bastimento si sfonderà prima!

Il bastimento carico di sale partì, e dietro si portava legato un altro bastimento più piccolo.

— A cosa serve, quello? — chiese Peppi al capitano. E il capitano rispose: — Eh, lo so io.

Difatti, arrivati che furono in mezzo al mare, il capitano scese nel bastimentino, disse: — Buonasera — e lasciò Peppi solo.

Il bastimento faceva acqua, c'era mare grosso, e non

avrebbe tardato ad andare a fondo. Peppi cominciò a chiamare: — Bella Madre! Signore! San Michele Arcangelo, aiutatemi voi! — E subito comparve un bastimento tutto d'oro, con San Michele Arcangelo al timone. Gli tirarono una corda e Peppi legò il suo bastimento a quello di San Michele Arcangelo che andava come un fulmine sul mare, finché entrarono in un porto.

— Venite per pace o per guerra? — chiesero dal porto.

— Per pace! — disse Peppi, e lo lasciarono sbarcare.

Il Re di quel paese volle invitare a tavola Peppi e il suo compagno (non sapeva che era San Michele).

— Guarda — disse San Michele a Peppi — che in questo paese non sanno cos'è il sale. — E Peppi ne portò con sé un sacchetto.

A tavola col Re, cominciarono a mangiare, e tutto era scipito come paglia. Disse Peppi: — Ma perché mangiate così, Maestà?

E il Re: — Noialtri così usiamo mangiare.

Allora Peppi versò un po' di sale nel piatto di tutti i commensali: — Maestà, provi ora come le pare.

Il Re mangiò qualche cucchiaiata, e disse: — Oh, buono! Buono! Ne avete molta di questa cosa?

— Un bastimento pieno.

— E a quanto lo mettete?

— Va a peso come l'oro.

— Allora lo compro tutto io.

— Affare fatto.

Dopopranzo, fecero scaricare e pesare tutto il sale. Sulla bilancia da una parte mettevano sale, dall'altra oro. Così Peppi si riempì d'oro il bastimento, e dopo aver fatto turare le falle ripartì.

La figlia del Re passava le giornate al balcone, scrutando il mare col cannocchiale all'orizzonte, aspettando il ritorno del suo Peppi. E quando vide il bastimento, corse da suo padre: — Papà, torna Peppi! Papà, torna Peppi!

Quando la nave fu in porto, e Peppi, baciata la mano al Re, cominciò a far scaricare oro a più non posso, i Consiglieri diventarono verdi. Dissero al Re: — Maestà; qui non ne usciamo.

E il Re: — E cosa posso fare?

E i Consiglieri: — Mandarlo a fare un altro viaggio.

Allora il Re, passati pochi giorni, gli disse di pensare a un nuovo carico, perché doveva di nuovo ripartire. Peppi ci pensò su, poi chiamò San Michele. E San Michele gli disse: — Fa' caricare un bastimento di gatti.

Il Re, per dare i gatti a Peppi, gettò un bando:

Tutte quelle persone che hanno gatti, li portino al Palazzo reale e il Re li compera.

Così il bastimento fu riempito, e partì miagolando per il mare.

Giunto più al largo ancora della prima volta, il capitano disse: — Buonasera — e se ne andò. Il bastimento cominciò ad affondare, e Peppi chiamò San Michele Arcangelo. Comparve il bastimento d'oro e, come un fulmine, lo condusse fino a un porto sconosciuto. Venne un'ambasciata al porto a chiedere se venivano per pace o per guerra. — Per pace! — dissero e il Re li invitò subito a pranzo.

A tavola, vicino a ogni piatto, c'era uno scopino. — A cosa servono?

E il Re: — Ora lo vedrete.

Servirono le vivande, e subito uscì una gran quantità di topi, e salivano fin sulla tavola e cercavano di mangiare nei piatti; ognuno dei commensali con lo scopino doveva cacciarli, ma era inutile perché tornavano ed erano tanti che non ci si poteva difendere.

Allora San Michele disse a Peppi: — Apri quel sacco che abbiamo portato. — Peppi sciolse il sacco e liberò quattro gatti che saltarono in mezzo ai topi e ne fecero una carneficina.

Il Re, tutto contento: — Oh, che begli animaletti! — esclamò. — Ne avete molti?

— Un bastimento pieno.

— E vanno cari?

— A peso come l'oro.

— Affare fatto. — Il Re li comprò tutti e sulla bilancia da una parte mettevano gatti, dall'altra oro. Così Peppi, aggiustato il bastimento, tornò carico d'oro anche stavolta.

Al porto, quando arrivò, la figlia del Re ballava dalla gioia, i facchini scaricavano oro e oro e oro, il Re era perplesso e i Consiglieri verdi in faccia. E dissero al Re: — Non ci è riuscita due volte, riuscirà la terza. Lasciamolo riposare una settimana, e poi riparta.

San Michele, stavolta, quando Peppi lo chiamò, disse: — Di' che ti carichino un bastimento di fave.

Quando il bastimento carico di fave stava per naufragare, venne il solito bastimento d'oro, e Peppi insieme a San Michele sbarcò in un porto.

Il Re di quella città era una Regina, e li invitò a pranzo tutti e due. Dopo mangiato la Regina tirò fuori le carte e disse: — Facciamo una partita? — E si misero a giocare a zecchinetta. La Regina era una grande giocatrice, e tutti gli uomini che perdevano li incarcerava in fondo a un sotterraneo.

Ma San Michele Arcangelo non poteva perdere, e la Regina capì che se continuava a giocare ci perdeva lei tutti i suoi possessi.

Allora disse: — Io vi dichiaro guerra. — Fissarono l'ora della guerra, e la Regina schierò tutti i suoi soldati. San Michele e Peppi erano due soli, con le loro spade contro tutti e si buttarono all'assalto. Ma San Michele Arcangelo fece alzare una folata di vento e sorse un polverone che annuvolò gli occhi dei soldati. Nessuno vedeva più niente e San Michele Arcangelo raggiunse la Regina e le tagliò il collo con la spada.

Quando il polverone fu passato e tutti videro la testa della Regina staccata dal busto, si rallegrarono, perché era una Regina che nessuno poteva soffrire, e dissero a San Michele: — Vogliamo Vossignoria per Re, Vossignoria!

San Michele disse: — Io ho già una Reggia da un'altra parte. Per il Re vedetevela voi.

Alla testa della Regina fecero una gabbia di ferro e l'appesero a un cantone, e San Michele e Peppi scesero nel sotterraneo a liberare i prigionieri. C'era pieno di gente ammuffita, affamata e i morti insieme ai vivi. Peppi prese a buttare fuori manciate di fave da un sacco, e quelli le mangiavano come fossero bestie. Così li ristorarono, gli fecero fare un brodo di fave e poi li rimandarono ognuno alla sua casa.

In quella città le fave non le avevano mai viste, e Peppi le vendette a peso d'oro. Poi, col bastimento carico d'oro e una scorta di soldati ai suoi ordini, fece vela verso la sua città, e sparò una cannonata a salve per annunciare il suo arrivo.

Stavolta entrò in porto anche il bastimento d'oro e il Re accolse San Michele Arcangelo. A pranzo San Michele disse al Re: — Maestà, voi avete una statua a cui una volta avete fatto una festa e che poi avete lasciato tra le ragnatele. Perché? Forse vi mancano i quattrini?

Il Re disse: — Ah sì, è San Michele Arcangelo, non ci avevo più pensato.

E San Michele: — Andiamola a vedere.

Arrivarono nella Cappella, e la statua era tutta ammuffita. Il forestiero disse: — Io sono San Michele Arcangelo e vi chiedo, Maestà, ragione del torto che mi avete fatto.

Il Re si buttò in ginocchio e disse: — Perdonatemi, ditemi cosa posso fare per voi! La più bella festa!

Il Santo disse: — Farete la festa di nozze di vostra figlia e Peppi perché questi due giovani si devono sposare.

Così Peppi sposò la figlia del Re e divenne Re a sua volta.

(Sicilia)

Bella Fronte

Una volta c'era un figlio che, terminate le scuole, suo padre gli disse: — Figlio, ora che hai finiti i tuoi studi, sei nell'età giusta per metterti a viaggiare. Ti darò un bastimento, perché tu cominci a caricare, scaricare, vendere e comprare. Sta' attento a quel che fai, perché voglio che tu impari presto a guadagnare!

Gli diede settemila scudi per comprare mercanzia; e il figlio si mise in viaggio. Viaggiava già da un po', e non aveva ancora comprato niente, quando arrivò a un porto e vide un cataletto in riva al mare, e tutti quelli che passavano ci mettevano un soldo d'elemosina.

Domandò: — Perché tenete qua questo morto? I morti vogliono essere seppelliti.

— È uno che è morto carico di debiti — gli risposero — e qui si costuma così: che se uno non ha pagato i suoi debiti non lo si seppellisce. E finché a questo qui non gli avranno pagato i debiti con le elemosine, non lo porteremo a seppellire.

— Allora fate la grida che tutti quelli che avanzano qualcosa da lui, vengano da me a farsi pagare. E portatelo subito a seppellire.

Fecero la grida, e lui pagò tutti i debiti e restò senza un quattrino. Tornò a casa. — Che novità? — gli chiese il padre. — Cosa vuol dire che sei tornato così presto?

E lui: — Sono andato per mare, ho incontrato i corsari, e m'hanno svaligiato di tutto il capitale!

— Fa niente, figlio, basta che t'abbiano lasciato la vita! Te ne darò ancora, ma tu non stare ad andare più da quelle parti. — E gli diede altri settemila scudi.

— Sì, messer padre, state sicuro che cambierò strada! — e ripartì.

In mezzo al mare, vide un bastimento turco. Il giovane si disse: "Qui è meglio fare gli amici: andare noi a fargli visita e invitarli a fare altrettanto." Salì a bordo dai Turchi, e chiese: — Donde venite?

Gli risposero: — Noialtri veniamo dal Levante!

— E che carico avete?

— Di niente. Solo di una bella giovane!

— E a chi la portate questa giovane?

— A chi vuole comprarla, noialtri la vendiamo. È la figlia del nostro Sultano e noialtri l'abbiamo rubata da tanto bella che è!

— Fatemela un po' vedere. — E quando l'ebbe vista, chiese: — Quanto ne volete?

— Noialtri ne vogliamo settemila scudi!

Così il giovane diede a quei corsari tutti i soldi che gli aveva dato suo padre, e si portò la giovane sul suo bastimento. La fece battezzare e la sposò; e tornò a casa da suo padre.

— *Benvenuto, o mio figliolo bello,*
Che mercanzia preziosa fatto avete?

— Padre mio, io vi porto un bel gioiello,
Lo porto per l'orgoglio che ne avrete,
Non mi costa né un porto né un castello,
Ma mai più bella donna visto avete.
La figlia del Sultan, che d'in Turchia
Io porto per mia prima mercanzia!

— Ah, pezzo di mariolo! È questo il carico che hai fatto? — e il padre li malmenò tutti e due e li cacciò fuori di casa.

Quei meschini non sapevano come trovare da mangiare.

— Come faremo? — si chiedeva lui. — Io non ho né arte né parte!

Ma lei gli disse: — Senti, Bella Fronte — (perché lei lo chiamava Bella Fronte) — io so fare delle belle pitture. Io le farò e tu andrai a venderle. Ma ricordati che non devi dire a nessuno che le faccio io.

Intanto, in Turchia, il Sultano aveva mandato fuori tanti bastimenti in cerca di sua figlia. E uno di questi bastimenti, per combinazione, arrivò nel paese dove i due sposi si trovavano. Scesero a terra molti uomini, e Bella Fronte, vedendo tanta gente, disse alla sposa: — Fa' molte pitture che oggi le venderemo.

Lei le fece e gli disse: — Tieni, ma a meno di venti scudi l'una non starle a vendere.

Lui le portò in piazza. Vennero i Turchi, diedero un'occhiata alle pitture e dissero fra loro: — Ma queste sono della figlia del Sultano! Non c'era che lei che sapeva farne uguali! — Si fanno avanti e gli chiedono a quanto le vende.

— Le vendo care — disse Bella Fronte. — Non le do a meno di venti scudi.

— Bene, le compriamo. Ma ne vogliamo delle altre.

E lui: — Venite a casa da mia moglie: è lei che le fa.

I Turchi andarono e videro la figlia del Sultano. La presero, la legarono, e se la portarono in Turchia.

Lo sposo restò lì disperato, senza moglie, senza mestiere e senza un soldo. Andava ogni giorno alla marina, a vedere se c'era un bastimento che volesse prenderlo a bordo, ma non ne trovava mai. Un giorno, trova un vecchio su una battellina che pescava. E gli fa: — Buon vecchio, quanto meglio di me voi state!

— Perché, caro figlio? — disse il vecchio.

— Buon vecchio, come vorrei venire a pescare con voi!

— Se vuoi venire con me, sali a bordo!

Tu con la canna, io con la battella
Forse ci pescheremo una sardella!

E il giovane salì. Fecero un patto: che avrebbero diviso sempre tutto nella vita: il male e il bene; e per incominciare il vecchio divise con lui la sua cena.

Dopo mangiato, si misero a dormire; e intanto, tutt'a un tratto, si levò una tempesta. Il vento prese la nave, la portò via sulle onde, e finì per sbatterla in Turchia.

I Turchi, vedendo capitare questa barca, la presero, fecero schiavi i due pescatori e li portarono davanti al Sultano. Il Sultano li mandò in giardino: il vecchio a fare l'ortolano e il giovane a tirar su i fiori. Nel giardino del Sultano, i due schiavi stavano proprio bene, avevano fatto amicizia con gli altri giardinieri; il vecchio fabbricava chitarre, violini, flauti, clarinetti, ottavini; e il giovane suonava tutti gli strumenti e cantava canzoni.

La figlia del Sultano era chiusa per castigo in una torre alta alta, con le sue damigelle. E a sentir suonare e cantare così bene, pensava al suo sposo lontano. — Solo Bella Fronte sapeva suonare tutti gli strumenti, ma d'ogni strumento era più dolce la sua voce. Chi è che suona e che canta nel giardino?

E guardando attraverso le persiane – perché non le po-

teva aprire – riconobbe nel giovane che suonava in giardino il suo sposo.

Ogni giorno le damigelle andavano dai giardinieri a farsi riempire una gran cesta di fiori. E la figlia del Sultano disse loro: — Mettete quel giovane nella cesta, copritelo di fiori, e portatelo qui!

Tra damigelle e giardinieri, tanto per ridere, lo fecero entrare nella cesta, e le damigelle lo portarono su. Quando fu nella torre, sbucò di tra i fiori e si trovò di fronte sua moglie! S'abbracciarono, si baciarono, si raccontarono tutto: e subito studiarono il modo di scappare.

Fecero caricare un gran bastimento di perle, pietre preziose, verghe d'oro, gioielli; e fecero calare nella stiva prima Bella Fronte, poi la figlia del Sultano, poi tutte le damigelle una per una. E il bastimento salpò.

Mentre erano già al largo, Bella Fronte si ricordò del vecchio e disse alla sposa: — Mia cara, forse perderò la vita, ma devo tornare indietro: non posso tradire la parola data! Ho fatto un patto con quel vecchio che avremmo diviso sempre il male e il bene!

Tornarono indietro e il vecchio era sulla spiaggia ad aspettarli. Lo fecero salire a bordo e ripresero il largo.

— Buon vecchio — gli disse Bella Fronte — facciamo le parti. Di tutte queste ricchezze, ne viene metà a te e metà a me.

— E anche di tua moglie — disse il vecchio — ne viene metà a te e metà a me!

Allora gli disse il giovane: — Buon vecchio, io ti devo molto: lascerò a te tutte le ricchezze di questa nave. Ma mia moglie lasciala tutta per me.

E il vecchio: — Sei un giovane generoso. Sappi che io sono l'anima di quel morto che tu hai fatto seppellire. Se tu hai avuto tutta questa fortuna è per quella buona azione che hai compiuto.

Gli diede la benedizione e sparì.

Il bastimento arrivò al paese con gran colpi di cannone: arrivava Bella Fronte con la moglie, il più ricco signore del mondo. Sulla riva c'era suo padre che voleva riabbracciarlo.

Vissero in pace e in carità
E a me mai nessuno niente dà.

(Istria)

Un pescatore aveva un figlio bambino, che quando lo vedeva entrare in barca diceva: — Padre, prendimi con te.

E il pescatore: —No, ché può venire la tempesta.

E se c'era bonaccia: — No, ché può venire il pescecane.

E se non era la stagione dei pescecani: — No, ché la barca può affondare.

Così lo tenne buono fino a nove anni, ma a quell'età non ci fu verso. Dovette portarlo con sé a pescare in mezzo al mare.

In mezzo al mare il pescatore gettò le reti e il bambino la lenza. Il pescatore tirò la rete e non c'era neanche un pesciolino, il bambino tirò la lenza e c'era attaccato un pesce enorme. — Questo, padre, lo voglio portare io di persona al Re. — Tornarono a riva, il bambino si vestì bello pulito, mise il pesce in una cesta su un fondo d'alghe verdi e andò dal Re.

Il Re vide il pesce e schioccò la lingua. — Olà! — chiamò un cameriere. — Olà! Date cinquanta onze a quel pescatorino! — E a lui domandò: — Come ti chiami?

— Io mi chiamo Pidduzzu, maestà — disse il pescatorino.

— Allora, Pidduzzu, ci vuoi stare a Palazzo reale?

— Magari! — fece il bambino.

Così, col consenso di suo padre, Pidduzzu fu allevato a Palazzo, vestito di seta fine e con tanti maestri e professori. Diventò istruito, crebbe, e non lo chiamavano più Pidduzzu ma "il cavaliere Don Pidduzzu".

A Palazzo cresceva pure la figlia del Re, che si chiamava Pippina e voleva bene a Pidduzzu come agli occhi suoi. A diciassett'anni si presentò un figlio di Re a chiederla in sposa. Il padre, che ci teneva, le parlò per convincerla a sposarlo. Ma Pippina aveva Pidduzzu in cuore e disse a suo padre che o avrebbe sposato Pidduzzu o non si sarebbe sposata mai. Il Re s'inalberò, chiamò Pidduzzu: — Mia figlia ha perso la testa per te e ciò non può essere: bisogna che tu te ne vada da Palazzo.

— Maestà — fece Don Pidduzzu — in questo modo mi mandate via?

— Mi dispiace — disse il Re — ti tenevo come un figlio. Ma non aver paura, non toglierò la mia mano dal tuo capo. — Così Don Pidduzzu andò per il mondo, e la Reginetta fu chiusa nella cella d'un convento.

Don Pidduzzu andò ad alloggiare a una locanda. La sua finestra dava in un cortile e su questo cortile s'apriva pure una finestrella di quel convento. Alla finestrella s'affacciò Pippina. Appena si videro, a gesti, a frasi, presero a consolarsi. Nella cella di Pippina tanti anni prima c'era stata rinchiusa una strega, e ci aveva nascosto il suo libro degli incantesimi. Pippina lo trovò e lo calò a Don Pidduzzu giù dalla finestra.

L'indomani il Re andò a trovare sua figlia e domandò alla Madre superiora il permesso di parlarle, e siccome era Re glielo diedero. La Reginetta disse al padre: — Sentite, papà, risolviamo questa storia. Il Reuzzo ha un suo brigantino; voi date un brigantino a Don Pidduzzu. Che partano tutt'e due uno da una parte, uno dall'altra. Chi tornerà coi regali più belli, sarà mio marito.

— L'idea mi piace — disse il Re. — Sarà fatto — e chiamati i due pretendenti a Palazzo spiegò il piano della figlia. Quelli furono contenti tutti e due: il Reuzzo perché sapeva che Don Pidduzzu non aveva il becco d'un quattrino; Don Pidduzzu perché col libro degli incantesimi era sicuro del fatto suo.

Così, levarono le ancore e partirono. Al largo, Don Pidduzzu aperse il libro, e v'era scritto: «Domani, alla prima terra che trovi, attracca; scendi con tutta la ciurma e con un palo.» L'indomani fu avvistata un'isola, Don Pidduzzu e la ciurma sbarcarono e si portarono un palo. A terra, aperse il libro. C'era scritto: «Proprio nel mezzo, troverai una botola, poi un'altra, e un'altra ancora; sollevale col palo e scendi giù.» Così fece: trovò la botola nel mezzo dell'isola, la sollevò facendo leva col palo; sotto la botola ce n'era un'altra, e sotto un'altra ancora. Sollevata l'ultima, si vide una scala. Don Pidduzzu scese e si trovò in una galleria tutta d'oro zecchino: mura, porte, pavimento, soffitto, tutto d'oro, e una tavola apparecchiata per ventiquattro, con cucchiai, saliere, candelieri d'oro. Don Pidduzzu guardò nel libro. C'era scritto: «Prendeteli.» Chiamò la ciurma e diede l'ordine di portare tutto quanto a bordo. Dodici giorni ci misero, a caricare. C'erano ventiquattro statue d'oro così pesanti che se ne potevano caricare solo un paio al giorno. Sul libro c'era scritto: «Lascia le botole come le hai trovate.» Così fece, e il brigantino alzò le ancore.

«Metti le vele e seguita il tuo viaggio» diceva il libro. Navigarono così per tutto un mese, ma i marinai cominciavano a stancarsi.

— Capitano, dove ci state conducendo?

— Tiriamo avanti, ragazzi, che presto siamo a Palermo.

Apriva tutti i giorni il libro, ma non c'era scritto niente. Finalmente, trovò: «Domani vedrai un'isola: sbarca.» A terra, il libro diceva di nuovo: «In mezzo c'è una botola; sollevala; poi altre due, poi una scala; scendi e tutto quel che trovi è tuo.» Questa volta Don Pidduzzu trovò una spelonca con prosciutti e caciocavalli appesi e tutt'intorno tante giarre. Don Pidduzzu lesse il libro: «Non mangiare niente, prendi la terza giarra a sinistra, c'è un balsamo che guarisce qualsiasi malattia.» E Don Pidduzzu portò a bordo la giarra. A bordo aperse il libro: «Torna indietro» c'era scritto. — Finalmente! — gridarono tutti.

Ma nel viaggio di ritorno, mentre navigavano e non vedevano che cielo e mare, cielo e mare, ecco che si fanno all'orizzonte le navi dei corsari turchi. Ci fu battaglia e tutta la ciurma fu presa e portata in Turchia. Don Pidduzzu e il pilota furono condotti dal Sultano Balalicchi. Il Balalicchi domandò all'interprete: — Questi di dove sono?

— Siciliani, Maestà — disse l'interprete.

— Siciliani! Dio me ne scampi! — disse il Balalicchi. — Incatenateli! Teneteli a pane e acqua, e fateli lavorare a trasportar macigni!

Così Don Pidduzzu e il pilota cominciarono quella dura vita, e Don Pidduzzu non faceva che pensare alla sua Reginella, che lo stava aspettando coi regali.

Bisogna sapere che a quel Balalicchi era venuta la rogna. Ne era carico dalla testa ai piedi e non trovava medicina per guarirlo. Quando Don Pidduzzu, dai discorsi degli altri prigionieri, venne a sapere questo fatto, dichiarò alle guardie che lui, in cambio della libertà, avrebbe guarito il Balalicchi.

Il Balalicchi lo riseppe e chiamò il siciliano. — Tutto

quel che vuoi, basta che mi guarisci dalla rogna. — Don Pidduzzu non si contentò della parola: volle tanto di carta scritta, e il permesso di tornare sul suo bastimento. Il bastimento era tirato a riva; da bordo non avevano portato via niente, perché erano corsari d'onore. Don Pidduzzu prese una bottiglia del balsamo di quella giarra, tornò dal Balalicchi, lo fece coricare e poi con un pennello cominciò a ungergli la crapa, la faccia e il collo. Prima di sera il Balalicchi cominciò a cambiar pelle come un serpente, e sotto quella pelle rognosa ne aveva un'altra tutta rosea e liscia.

L'indomani Don Pidduzzu gli unse petto, pancia e schiena, e la sera la pelle si cambiò. Il terzo giorno unse le gambe e le braccia, e il Balalicchi era del tutto risanato. E Don Pidduzzu salpò con la sua ciurma.

Sbarcò a Palermo, e subito in carrozza a trovare Pippina, che non stava più in sé dalla gioia. Il Re gli chiese com'era andata. — Lo sa Dio com'è andata, Maestà — disse Don Pidduzzu — ora vorrei mi si preparasse una galleria per metterci i miei regali. È vero che è roba da niente, ma visto che ci sono…

E cominciò a far scaricare tutta la roba d'oro che aveva. Per un mese non fecero altro che scaricare. Messa a posto la roba, disse al Re: — Maestà, io domani sono pronto; se volete, prima andate a vedere cos'ha portato il Reuzzo, e poi le cose mie.

L'indomani il Re andò a vedere i regali del Reuzzo: suppellettili, oggetti da toeletta, belle cose, sì, niente da dire. Il Re gli fece tanti complimenti. Poi, insieme andarono a vedere da Don Pidduzzu: appena si trovò davanti a quello splendore, il Reuzzo fece: — Ah! — si voltò, si mise a correre, scese gli scalini a quattro a quattro, s'imbarcò sulla sua nave e nessuno lo vide più.

La folla gridò: — Viva Don Pidduzzu! — e il Re l'ab-

bracciò. Insieme andarono a prendere Pippina a Santa Caterina, e dopo tre giorni i fidanzati si sposarono.

Don Pidduzzu mandò a cercare suo padre e sua madre, di cui non sapeva più niente. Poveretti! Andavano ancora a piedi scalzi. Li fece vestire da padre e da madre di Reuzzo quali erano, e li tenne con sé a Palazzo.

Tutti restarono felici e contenti
E noialtri restammo senza niente.

(Palermo)

FIABE D'INCANTESIMI

LA SCUOLA DELLA SALAMANCA

C'era una volta un padre che aveva un figlio solo. A questo figlio, che mostrava d'aver la testa fina, disse il padre: — Figlio mio, a forza di risparmi sono arrivato a metter da parte cento ducati uno sull'altro, e vorrei farli raddoppiare. Ma a far dei negozi non mi fido, ho paura di perderceli tutti: perché gli uomini, per un verso o per l'altro, sono tanti birbanti, e così non faccio altro che pensare notte e giorno a quel che devo fare, e mi ci mangio le midolla. Tu, dimmi un po' cosa ne pensi? Che ti dice questo tuo cervello?

Il figlio restò un po' in silenzio, come sovrappensiero, e quand'ebbe riflettuto ben bene rispose così: — Tata, ho sentito dire della scuola della Salamanca, dove s'imparano tante e tante cose. Se coi nostri cento ducati posso entrarci, sta' sicuro che quando ne uscirò saprò il fatto mio, e mi basterà darmi un po' da fare perché i quattrini vengano a palate.

Al padre questa pensata piacque, e il giorno appresso, senza perdere tempo, si misero la strada sotto i piedi e camminarono verso la montagna. Cammina cammina, arrivarono al Maestro della Salamanca.

Il padre, con le lagrime agli occhi, gli raccontò perché era venuto fin lassù. Il Maestro, senza commuoversi per nulla, cuore duro come tutti i maestri, si prese i cento ducati e poi fece entrare padre e figlio in casa sua. Li portò in giro per stanze e stanze e stanze, e queste stanze erano tutte piene d'animali, di tutte le specie; lui passava e fischiava, e a quel fischio tutti gli animali diventavano tanti giovanotti, belli come il sole. E il Maestro disse al padre: — Adesso, a tuo figlio non hai più da pensare. Qui sarà tenuto meglio d'un signore; io gli insegnerò i segreti della scienza, e alla fine dell'anno, se riuscirai a riconoscerlo in mezzo a tutti questi animali, te lo riporterai a casa coi cento ducati come m'hai dato; ma se non riuscirai a riconoscerlo, resterà con me per sempre.

A queste triste parole, il povero padre si mise a piangere; ma poi, fattosi animo, abbracciò il figlio, lo baciò e ribaciò, e solo solo prese la via del ritorno.

Il Maestro comincia le lezioni mattina e sera e il giovane imparava al volo e andava avanti con passi da gigante: dopo poco tempo era tanto bravo che era uno di quelli che sapevano fare già da solo. Insomma, quando spirò l'anno, l'allievo aveva raccolto dal Maestro tutto il bene e tutto il male.

Il padre, intanto, s'era messo in strada per andarlo a riprendere, ed era disperato, poveretto, perché non sapeva come passare quella prova del riconoscimento in mezzo a tanti animali. Saliva per la montagna quando si sentì intorno del vento, e nel vento, una voce disse: — Vento sono e uomo divento. — Ed ecco che si vide davanti il suo figliolo.

— Tata — gli disse il giovane — sta' attento: il Maestro ti porterà in una stanza piena di piccioni; sentirai un pic-

cione che tuba; quello sarò io. — E così detto — Uomo sono e vento divento — ridivenne vento e volò via.

Tutto allegro, il padre continuò la via della Salamanca. Giunto sulla cima della montagna, batté con la bacchetta il terreno, e *paff*! gli si presentò il Maestro. — Sono venuto a ripigliarmi il mio ragazzo — disse il padre — e spero che Dio mi faccia la grazia di non confondermi e di farmelo riconoscere.

— Bravo, bravo! — rispose il Maestro — ma sta' sicuro che non ne cavi niente. Vieni con me.

Lo fece girare da una parte e dall'altra, scendere, salire, tutto per confonderlo, e una volta arrivati alla stanza dei piccioni — Ora tocca a te: dimmi se qua dentro c'è tuo figlio, che se non c'è passiamo avanti.

In mezzo a quei piccioni, uno bianco e nero che era una bellezza cominciò a far la ronda e a tubare: — Cururù, cururù — e il padre, senza perder tempo: — Mio figlio è questo, sento che è questo, me lo dice il sangue...

Il Maestro restò con un palmo di naso. Ma che doveva fare? Bisognava che stesse ai patti e restituisse il figlio, e assieme al figlio i cento ducati, cosa che gli dispiaceva ancora di più.

Padre e figlio, felici e contenti, se ne tornarono al paese e appena arrivati invitarono a un bel banchetto i parenti e gli amici e mangiarono e bevvero in allegria. Passato un mese in baldoria, il figlio fece questo discorso al padre: — Tata mio, i cento ducati sono sempre lì, non li abbiamo ancora raddoppiati; e se ci dobbiamo fare una casetta non bastano nemmeno per i mattoni. Allora, cosa ci sono andato a fare alla scuola? Non ci sono andato per diventare uno che sa guadagnare quattrini a palate? Stammi a sentire: domani è la fiera di San Vito a Spongano, io mi farò cavallo con la stella in fronte, e tu mi porterai a vendere. Bada che di certo alla fiera verrà il Maestro e mi riconoscerà, ma tu non mi vendere a meno di cento ducati e *franco di cavezza*. Non te ne scordare, ché nella cavezza stanno tutte le speranze mie.

Venne l'indomani, il figlio, sotto gli occhi di suo padre, si trasformò in un bel cavallo con la stella in fronte; e andarono alla fiera. Tutta la gente stava a bocca aperta intorno a quella bella bestia, tutti lo volevano, ma appena sentivano che il padrone ne chiedeva cento ducati, si tiravano indietro. Mancava poco alla fine della fiera quando piano piano s'avvicinò un vecchio, guardò il cavallo davanti e di dietro, e disse: — Quanto ne chiedi?

— Cento ducati e franco di cavezza.

A sentire quel prezzo il vecchio bofonchiò un po', cominciò a tirare, a dire che era troppo, ma visto che non lo vendeva per meno, si mise a contare i danari. Il padre stava intascando i danari e non aveva ancora tolto la cavezza al cavallo, quando quel vecchio maledetto, svelto come un cardellino, saltò in groppa al cavallo e via dalla fiera come il vento. — Ferma! Ferma! Devo riprendere la cavezza! Franco di cavezza! — Prese a gridargli dietro il padre, disperato, ma non si vedeva più neanche la polvere.

Col Maestro sulla groppa, il cavallo correva a suon di legnate; una gragnuola di legnate così fitta che il cavallo sanguinava da tutto il corpo e dopo un po' sarebbe stramazzato a terra, se, per fortuna, non fossero arrivati a una taverna. Il Maestro smontò di sella, condusse il cavallo tutto piagato nella stalla, lo legò alla mangiatoia vuota, e lo lasciò così senza biada e senza acqua con la cavezza al muso.

In quella taverna era a servizio una ragazza così bella che era una cosa da vedersi, e mentre il Maestro era su che mangiava, si trovò a passare per la stalla. — Ah, povero cavallo! — esclamò. — Il tuo padrone dev'essere proprio un cane! Lasciarti così a digiuno assetato e tutto insanguinato! Ora ti governerò io. — Per prima cosa lo portò a bere alla fontana, e per farlo bere meglio gli levò la cavezza.

— Cavallo sono e anguilla divento! — disse il cavallo appena fu senza cavezza, e diventato anguilla si buttò nella fontana.

Il Maestro sentì, lasciò il piatto di maccheroni che stava mangiando e corse giù, giallo dalla rabbia. — Uomo sono e capitone divento! — gridò e si buttò anche lui in acqua, diventando capitone e inseguendo l'anguilla.

Il discepolo non si perse di coraggio, disse: — Anguilla sono e colomba divento! — e *paff!* volò via dall'acqua, cambiato in una bella colomba.

E il mago: — Capitone sono e falcone divento! — E gli volò dietro cambiato in falcone. Volando volando, sempre lì lì per raggiungersi, arrivarono a Napoli. Nel giardino del Re, seduta al fresco sotto un albero c'era la Reginella. Se ne stava cogli occhi per aria, e subito s'accorse della povera colomba perseguitata dal falcone, e le prese tanta pena. Il discepolo appena la vide: — Colomba sono e anello mi faccio. — Diventò un anello d'oro e cascò giù dal cielo sul petto della Reginella. Il falco fece un giro largo largo e s'andò ad appollaiare sulle tegole della casa di fronte.

Alla sera, la Reginella, quando si spogliò, togliendosi il busto si trovò tra le mani quell'anello. Si avvicinò al candeliere per vederlo meglio e sentì queste parole: — Reginella mia, perdonami se sono entrato da te senza chiedere permesso, ma devo salvarmi la vita. Permettimi di mostrarmi nel mio vero aspetto, e ti racconterò tutta la mia storia.

A sentir quella voce la Reginella quasi morì dalla paura, ma poi la curiosità fu più forte e gli diede il permesso di mostrarsi. — Anello sono e uomo divento! — L'anello risplendette più forte e comparve un giovane bello come il sole. La Reginella restò incantata e non gli toglieva più gli occhi di dosso; quando poi seppe tutte le sue virtù e le disgrazie che stava soffrendo, se ne innamorò e volle che restasse con lei. Il giorno il giovane ridiventava anello e lei se lo portava al dito; alla sera, quand'erano soli, riprendeva il suo aspetto umano.

Ma il Maestro non stava in ozio. Un mattino il Re si svegliò spasimando dai dolori. Furono chiamati tutti i medici, gli fecero prendere tutti i farmaci e tutte le spezie, ma i dolori non passavano. La Reginella era in pena, e il giovane ancor di più, perché sapeva che tutto questo era opera del Maestro. Difatti, ecco che si presentò a Palazzo un medico forestiero d'un paese in capo al mondo, e dichiarò che se lo facevano entrare nella camera del Re lui l'avrebbe sanato. Lo fecero subito passare, ma la Reginella vide l'anello che risplendeva più forte e capì che il giovane le voleva parlare. Si chiuse in camera sua, e il giovane le disse: — Ahimè, cos'avete fatto! Quel medico è il Maestro! Guarirà tuo padre, ma per compenso vorrà il tuo anello! Tu di' che non vuoi darlo, ma se il Re ti obbliga, buttalo forte in terra!

Così infatti avvenne: il Re guarì, e disse al medico: — Chiedimi tutto quello che tu desideri, e io te lo darò. — Il medico prima fece finta di non voler niente, ma poiché il Re insisteva domandò l'anello che la Reginella aveva al dito. Lei a piangere, a gridare; finì per farsi venire uno svenimento, ma quando sentì che il Re l'aveva afferrata per la mano per toglierle l'anello di forza, s'alzò tutt'a un tratto, se lo sfilò dal dito e lo sbatté in terra.

Appena l'ebbe gettato, si sentì: — Anello sono e melagrana divento! — La melagrana si ruppe per terra e i chicchi schizzarono per tutta la stanza.

— Medico sono e gallo divento! — disse il Maestro, divenne gallo e si mise a beccare tutti i chicchi uno per uno.

Ma un chicco era andato a finire sotto le falde della Reginella che lo tenne lì nascosto.

— Melagrana sono e volpe divento! — disse il chicco, e dalle falde della Reginella saltò fuori una volpe, e si mangiò il gallo in un boccone.

Il discepolo era stato più bravo del Maestro! La volpe ridivenne un giovane, raccontò al Re la sua storia e l'indomani sparavano tutti i cannoni per le nozze della Reginella.

(Puglie)

IL REUZZO PEPERONE

Una volta c'era un Re, sua moglie era morta, gli aveva lasciato una figlia. Questa figlia era in età di marito, e la chiedevano figli di re, di marchesi, di conti, ma lei rifiutava tutti.

Il padre la chiamò e le disse: — Figlia mia, perché non ti vuoi maritare?

— Papà — lei rispose — se volete che mi mariti, datemi un cantàro di farina e un cantàro di zucchero, che il fidanzato voglio farmelo io con le mie mani.

Il Re si strinse nelle spalle e disse: — Ebbene, li avrai. — Le diede lo zucchero e la farina; la figlia si chiuse in camera con una madia e uno staccio e si mise a setacciare. Sei mesi stette a setacciare, sei mesi a impastare; quando l'ebbe impastato, non le piacque com'era venuto e lo disfece. La seconda volta finalmente le venne come voleva lei; e per naso gli mise un peperone. Lo mise in piedi in una nicchia, chiamò suo padre e gli disse: — Papà, papà, ecco il mio fidanzato! Si chiama Reuzzo Peperone.

Il padre lo vide, lo esaminò da tutte le parti e gli piacque. — È bello, ma non parla!

Lei gli rispose: — Aspetta, a suo tempo parlerà.

Tutti i giorni la figlia del Re andava dal Reuzzo Peperone nella nicchia, e gli diceva:

Reuzzo fatto a mano,
Senza penna e calamaro,
Sei mesi a setacciarti,
Sei mesi ad impastarti,
Sei mesi per spastarti,
Sei mesi per rifarti,
Sei mesi alla nicchiola
E ti viene la parola!

E per sei mesi, la ragazza continuò a cantargli questa canzoncina. Alla fine del sesto mese, il Reuzzo Peperone cominciò a parlare.

— Non posso parlare con te — disse — devo parlare prima con tuo padre.

La ragazza corse dal padre. — Vieni papà, vieni che il mio fidanzato parla!

Venne il Re e si mise a discorrere col Reuzzo Peperone del più e del meno, e alla fine il Reuzzo gli chiese la mano di sua figlia. Il Re, tutto contento, ordinò una gran tavolata e invitò a pranzo il Reuzzo Peperone. Cominciarono i preparativi per le nozze, che avvennero dopo un paio di giorni, alla presenza di tutti i regnanti vicini e lontani.

Tra questi regnanti c'era anche una Regina che si chiamava la Turca-Cane. Appena la Turca-Cane vide il Reuzzo fatto a mano ne restò incantata e si mise in testa di portarlo via alla sua sposa.

Dopo le nozze, i due sposi cominciarono a vivere felici, ma il Reuzzo Peperone non usciva mai di casa. Il Re finì per dirlo alla figlia: — Figlia mia, com'è che non esci mai con tuo marito? Una passeggiata ogni tanto è bene che la facciate, almeno per la salute!

— Sì, sì, papà. Anch'io oggi sento proprio il desiderio d'uscire in carrozza.

Fecero attaccare i cavalli e la Reginotta uscì a passeggio in carrozza col Reuzzo Peperone. La Turca-Cane, che stava sempre a spiare il momento di rapire il Reuzzo, si mise a seguirli con la sua carrozza. Quando furono in campagna, il Reuzzo Peperone volle scendere di carrozza per fare quattro passi a piedi. Tutt'a un tratto venne una gran folata di vento: il Reuzzo Peperone volò via. Volando volando, passò vicino alla carrozza della Turca-Cane, che allargò in aria il suo mantello e lo prese al volo. Sua moglie e il cocchiere intanto s'erano messi a cercarlo dappertutto per la campagna, ma non riuscivano a trovarlo. La Reginotta tornò a Palazzo tutta addolorata. — E tuo marito? — le chiese suo padre.

— Una folata di vento l'ha portato via! Mi chiuderò nella mia stanza col mio dispiacere e non voglio più saper niente.

Ma chiusa nella sua stanza non ci stette molto. Non potendone più dalla malinconia, prese un cavallo, una borsa di danari, chiese la santa benedizione di suo padre e si mise in cammino, alla ricerca del Reuzzo Peperone.

Una notte, in un bosco, sentiva gli animali gridare, quando vide una luce, e bussò.

La porta s'aprì, e c'era un vecchio con la barba lunga, che le disse: — Figlia di Re, che vai facendo per queste contrade piene di bestie feroci?

— Vado a cercar la mia fortuna. Mi sono impastata un marito con le mie mani — e gli raccontò la sua storia.

— Figlia di Re — disse il vecchio — ce ne vorrà prima che tu ritrovi tuo marito. Intanto, tieni questa castagna. Non la perdere. Domattina ti rimetterai in cammino fino a che non troverai un'altra casa: ci sta mio fratello: chiedi a lui!

L'indomani la Reginotta trovò l'altro romito che le diede una noce da conservare insieme alla castagna e le insegnò la strada per la casa del loro terzo fratello. Il terzo romito che era vecchio più degli altri due messi assieme, le diede una nocciola e le disse: — Va' per questa strada, troverai un gran palazzo. Attaccato a questo palazzo che è quello della Turca-Cane ce n'è uno più brutto che è il carcere. Quando sei sotto il palazzo, spezza la castagna e quello che ne uscirà mettiti a gridarlo come lo vendessi. Alla tua voce, uscirà la cameriera della Turca-Cane e ti farà salire. La Turca-Cane ti chiederà quanto vuoi di quella cosa che vendi. Tu non chieder danari: di' solo che quella sera vuoi restar da sola col marito della Turca-Cane. Il marito della Turca-Cane, sai chi è? È il Reuzzo Peperone. Se non riuscirai a parlare quella sera col Reuzzo, spezzerai la noce e ti metterai a vendere quel che c'è dentro. Se non riesci neanche la seconda notte, spezzerai la nocciola.

Arrivata al palazzo, la Reginotta spezzò la castagna; ne uscì un telaio d'oro con una giovane seduta che tesseva, tutta d'oro. Cominciò a gridare: — Oooh, chi compra un bel telaio d'oro con una giovane seduta che tesse tutta d'orooo!

S'affacciò la cameriera e disse alla Turca-Cane: — Maestà, Maestà, sapesse che belle cose vendono! Le compri lei, perché possono stare solo nella sua galleria, tanto sono preziose.

La Reginotta fu chiamata su. La Turca-Cane le chiese: — Quanto ne vuoi?

— Non voglio danari. Voglio solo stare una notte chiusa in una stanza col marito di vostra Maestà.

La Turca-Cane non voleva, ma la cameriera la persuase, e la Turca-Cane fece bere al Reuzzo Peperone vino oppiato, lo mise a letto, e poi disse alla donna che vendeva il telaio: — Puoi entrare.

La Reginotta non sapeva come fare a svegliare il Reuzzo addormentato. Gli cantò:

Reuzzo fatto a mano,
Senza penna e calamaro,
Sei mesi a setacciarti,
Sei mesi ad impastarti,
Sei mesi per spastarti,
Sei mesi per rifarti,
Ma ora sei di questa Turca-Cane,
Risvegliati, Re mio, che ce ne andiamo!

Ma il Reuzzo Peperone non sentiva. E così cantando e piangendo, le si fece giorno.

Se n'era già andata, tutta disperata, quando si ricordò del consiglio del romito e schiacciò la noce. Ne uscì un fuso d'oro, con una giovane che filava tutta d'oro. Cominciò a gridare: — Oooh, chi compra un bel fuso d'oro con una giovane che fila tutta d'orooo! — S'affacciò la cameriera e la chiamò.

— Quanto ne vuoi? — disse la Turca-Cane.

— Non voglio danari, voglio star sola con vostro marito anche stanotte.

Ma anche quella sera la Turca-Cane diede al Reuzzo vino con l'oppio. E anche quella notte, la Reginotta la passò a cantare e a piangere, ma inutilmente.

I carcerati che stavano lì accanto, era la seconda notte che non potevano dormire per questi canti e pianti, e un po' per il sonno un po' per la compassione, decisero che se l'indomani avessero visto uscire il Reuzzo Peperone, l'avrebbero chiamato dalle loro inferriate e gli avrebbero detto di questi lamenti.

Difatti, quando a giorno il Reuzzo uscì dal palazzo, i carcerati sporgendo le braccia dalle inferriate gli fecero segno di avvicinarsi, e gli dissero: — Maestà, tanto forte dormite alla notte? Noi sentiamo piangere e chiamare: «Reuzzo», gridare: «Sono tua moglie!», cantare che v'ha fatto con le sue mani, che sei mesi v'ha impastato, che sei mesi v'ha spastato: possibile che voi non sentiate niente?

Il Reuzzo Peperone pensò: "Se non sento, vuol dire che la Turca-Cane mi oppia il vino. Stanotte non voglio bere."

Intanto, la povera giovane era più disperata che mai perché non le restava che la nocciola. La schiacciò: ne uscì un bel canestrino d'oro, con una giovane che cuciva tutta d'oro. Gridò: — Oooh, chi compra un bel canestrino d'oro, con una giovane che cuce tutta d'orooo! — Fu chiamata su e fece lo stesso patto delle altre sere.

Trovatisi sola col Reuzzo Peperone addormentato, stava per riprendere la sua canzone, ma il Reuzzo, che aveva finto di bere e adesso faceva finta di dormire, aperse gli occhi e le disse: — Zitta, moglie mia, che stanotte scapperemo. Come hai fatto per trovarmi?

— Reuzzo, ho camminato tanto! — e gli raccontò i suoi patimenti.

Egli le spiegò che non era mai potuto scappare perché sempre sotto l'incantesimo della Turca-Cane, ma ora, credendolo oppiato, la Turca-Cane l'aveva un po' disincantesimato.

Aprirono la porta, s'assicurarono che la Turca-Cane dormisse della grossa, salirono tutt'e due sul cavallo della Reginotta e via.

Quando la Turca-Cane l'indomani se ne accorse, si strappò i capelli uno a uno, e quando non ebbe più capelli si strappò la testa e morì.

Gli sposi a cavallo arrivarono al palazzo del padre della Reginotta. Il padre era affacciato al balcone, vide i due a cavallo e gridò: — Figlia mia! Figlia mia!

Fecero tante feste, balli e canti
E noi restammo con le mani vacanti.

(Calabria)

GOBBA, ZOPPA E COLLOTORTO

C'era un Re che faceva quattro passi. Guardava la gente, le rondini, le case ed era contento. Passò una vecchietta, che andava per i fatti suoi, una vecchietta proprio a modo, solo che zoppicava un poco da una gamba, ed era anche un po' gobba, e in più aveva il collo torto. Il Re la guardò e disse: — Gobba, zoppa e collotorto! Ah, ah, ah! — e le scoppiò a ridere in faccia.

Quella vecchietta era una fata. Fissò il Re negli occhi e disse: — Ridi, ridi, ne riparleremo domani.

E il Re scoppiò in un'altra risata: — Ah, ah, ah!

Questo Re aveva tre figlie, tre belle ragazze. L'indomani le chiamò per andare a spasso insieme. Si presentò la figlia maggiore. E aveva la gobba. — La gobba? — disse il Re. — E come t'è venuta?

— Ma — disse la figlia — la cameriera non m'ha rifatto bene il letto, così stanotte m'è venuto tanto di gobba.

Il Re cominciò a passeggiare su e giù per la sala; si sentiva nervoso.

Fece chiamare la seconda figlia, e questa si presentò col collo torto. — Cos'è questa storia? — disse il Re — che c'entra adesso il collo torto?

— Sai — rispose la seconda figlia — la cameriera pettinandomi m'ha tirato un capello… E io sono rimasta così col collo torto.

— E questa? — fece il Re vedendo la terza figlia che s'avanzava zoppicando — e questa perché zoppica, adesso?

— Ero andata in giardino — disse la terza figlia — e la cameriera ha colto un fior di gelsomino e me l'ha tirato. M'è cascato su un piede e son rimasta zoppa.

— Ma chi è questa cameriera! — gridò il Re. — Che venga in mia presenza!

Fu chiamata la cameriera: venne davanti al Re afferrata e trascinata dalle guardie, perché – diceva – si vergognava di farsi vedere: era gobba, zoppa e torta nel collo. Era la vecchietta del giorno prima! Il Re la riconobbe subito, e gridò: — Fatele una camicia di pece!

La vecchietta si fece piccina, piccina, la sua testa diventò aguzza come un chiodo. C'era un buchino nel muro e la vecchietta ci si ficcò dentro, passò dall'altra parte e sparì, lasciando lì solo la gobba, il collo torto e il piede zoppo.

(Abruzzo)

Una volta c'erano due compari. Uno dei due aveva un figlio, l'altro niente; e tutti e due amavano questo figlio con tutto il cuore. Erano negozianti di mare, negozianti forti, che giravano tutti i regni. Un giorno aveva da partire il compare senza figli, per le sue mercanzie; e mentre si preparava per la partenza, il figlio dell'altro compare si mise a pregare il padrino che lo portasse con sé, a impratichirsi del mare e dei negozi, e a pregare il padre che lo lasciasse andare col padrino. Il padre non voleva, il padrino nemmeno, ma il figlio tanto li pregò che finirono per concedergli di partire con un bastimento che avrebbe navigato insieme a quello del padrino.

Mentre erano in alto mare, ecco che si scatena una tempesta; ed era una tempesta così forte, che i due legni si persero di vista. Il legno dov'era il padrino si salvò; quello dov'era il giovane andò a fondo e tutti gli uomini annegarono. Il giovane, fortunatamente, si mise a cavallo d'una tavola e nuotò, nuotò, finché non toccò terra. Là a terra, solo, si mise a girare sconsolato, e s'addentrò in un bosco abitato da fiere, e la notte, per timore delle fiere, la passò in cima a una quercia. Il giorno, visto che non c'erano più bestie in giro, scese e camminò per il bosco, finché non arrivò in un punto in cui il bosco era attraversato da un'alta muraglia, di cui non si vedeva né la fine né il principio. Aiutandosi coi rami degli alberi, il giovane riuscì ad arrampicarsi in cima al muro e vedere cosa c'era dall'altra parte. C'era una città e quelle mura erano state alzate per difendersi dalle bestie feroci.

Di lassù in cima, il giovane, come meglio poté, riuscì a scendere ed entrò nella città. "Adesso andrò a far la spesa, per mettere qualcosa sotto i denti" pensò e prese una strada fiancheggiata da botteghe. Entrò da un panettiere, domandò del pane, ma il panettiere non rispose. Entrò da un salumaio, domandò del salame, ma il salumaio non rispose. Girò tutte le botteghe, ma nessuno gli dava retta.

"Adesso vado a protestare dal Re!" si disse il giovane e andò a Palazzo reale. — Si può entrare dal Re? — chiese alla sentinella. E la sentinella: zitta. Affannato, disperato perché nessuno gli parlava, il giovane entrò nel Palazzo e si mise a girare per le camere. Trovò la camera più bella di tutte con un Real Letto, un Real Comodino, un Real Lavamano e si disse: "Visto che nessuno mi dice niente, io me ne andrò a dormire."

Subito saltarono fuori due belle damigelle, e tutte in silenzio, gli prepararono una tavola, gli servirono cena. Lui mangiò, poi andò a dormire.

Così cominciò per lui una bella vita in quella città silenziosa. Una notte, mentre dormiva in quel Letto Reale, vide apparirgli vicino, accompagnata dalle due damigelle, una giovane di meraviglioso aspetto, tutta velata, che gli chiese: — Hai coraggio e fermezza?

E lui rispose: — Sì.

E lei: — Se hai coraggio e fermezza ti paleserò il mio

segreto. Sappi che io sono la figlia dell'Imperatore Scorzone, e mio padre prima di morire ha incantato questa città, con tutti gli uomini, la servitù, l'esercito e me compresa; e questo incantesimo è custodito da un Mago. Ma se tu starai con me tutte le notti per un anno intero senza mai guardarmi e senza palesare il mio segreto ad anima viva, l'incantesimo della città finirà, ed io resterò Imperatrice e tu Imperatore, acclamato da tutto questo popolo.

E il giovane: — Ho coraggio e fermezza.

Ma dopo qualche giorno egli le disse che per poter stare un anno tranquillo al suo fianco doveva prima andare a salutare suo padre, sua madre e suo padrino, e le assicurò che sarebbe subito tornato. L'Imperatrice era dubbiosa se lasciarlo partire, ma lui tanto la pregò che gli fece preparare un bastimento, vi fece caricare un po' dei suoi tesori, e gli consegnò un bastone: — Con questo bastone, comanda, e ti troverai subito dove vorrai. Ma ricordati di non palesare a nessuno il mio segreto.

Il giovane salì sul bastimento, batté il bastone, e si trovò nel porto della città di suo padre. Diede ordine di portare i suoi tesori alla migliore locanda e lì prese alloggio. — Conoscete un negoziante di mare? — domandò alla gente.

— In questa città ce ne sono due — gli risposero — due compari, forti negozianti, ma però ora sono ridotti all'elemosina.

— E come può essere?

— Deve sapere che il figlio d'uno dei due compari s'è perso in mare, e il padre, non volendo credere che si fosse perso per disgrazia, ne diede la colpa al suo compare, e gli fece causa, e nella causa tutti e due si ridussero in miseria.

Il giovane, sentito questo discorso, mandò a chiamare suo padre. Il padre non lo riconobbe. Il figlio disse: — Avrei piacere di fare un commercio con voi e col vostro compare, visto che siete pratici di negozi di mare.

— È impossibile — rispose il padre — perché tanto io che il mio compare abbiamo fatto fallimento per causa d'una causa, per mio figlio che il mio compare m'ha perso.

— Non importa — disse il giovane — tutti i capitali ce li metto io.

E fece subito preparare una gran tavolata, e invitò a pranzo anche l'altro compare e le due mogli. Quando si ritrovarono faccia a faccia nella locanda, i due compari e anche le loro mogli si guardarono male, da quei nemici che erano diventati. Cominciarono a mangiare, ma i due compari, dalla rabbia che avevano l'uno contro l'altro, non riuscivano a mandare giù un boccone. Allora, il giovane prese una forchettata dal suo piatto, e la porse a suo padre, dicendo: — Padre mio, accettate questo boccone, che ve lo dona il vostro figlio che è qui presente sano e salvo.

Tutti balzano in piedi. Come impazziti di contentezza, cominciarono ad abbracciarsi, a baciarsi, piangendo dall'allegria. Il giovane divise i suoi tesori tra il padre e il padrino perché continuassero i loro negozi. E poi: — Adesso vi saluto, perché devo ripartire.

— E dove vai? — gli chiese sua madre.

— Questo non te lo posso dire.

Ma la madre prese a pregarlo e a ripregarlo, finché lui non le spiegò della figlia dell'Imperatore Scorzone, che lui non poteva vedere quant'era bella.

E la madre: — Senti, io ti do una candela delle tenebre e quando lei dorme, accendi la candela e guarda le sue bellezze.

Il giovane salì sul bastimento, batté il bastone e si ritrovò al porto della città dell'Imperatore Scorzone. Andò a Palazzo reale e ritrovò la figlia dell'Imperatore che l'aspettava. La sera si coricarono, e il giovane non vedeva l'ora di guardare la sua bellezza. Mentre lei dormiva, lui prese la candela, l'accese, e cominciò a scoprire la ragazza. Ma la candela scolò una goccia di cera, e cadde sulla pelle di lei, scottandola. Si svegliò. — Traditore! Tu hai palesato il mio segreto! Così non mi potrai più liberare!

— O povero me! Ma io voglio ancora cercare di liberarti! Non c'è altro mezzo?

— Devi andare nel bosco, combattere col Mago che custodisce l'incantesimo e ammazzarlo!

— Sì. E quando l'ho ammazzato?

— Spaccagli la pancia; ci troverai un coniglio. Spacca il coniglio; ci troverai una colomba. Spacca la colomba; ci troverai tre uova. Queste tre uova devi conservarle come le pupille degli occhi tuoi e portarle qui sane e salve. Così sarà liberata la città e tutti noi saremo salvi: se no resteremo incantati per sempre e tu con noi. Tieni questo bastone e va' a combattere!

Il giovane partì, armato di bastone. Trovò una mandria di vacche, coi mandriani e il padrone della vaccaria. Chiese al padrone: — Vossignoria mi vuol dare un pezzo di pane? Mi sono sperso in questa contrada.

Il padrone della vaccaria gli diede da mangiare e lo tenne con sé a fare il mandriano. Un giorno disse ai mandriani: — Dovete portare le vacche al pascolo nel feudo, ma badate di non lasciarle entrare nel bosco, perché ci abita un Mago che ammazza non solo i cristiani ma anche le vacche.

Il giovane andò con la mandria e quando le vacche furono vicine al bosco, con urli e colpi di bastone le fece entrare tutte nel bosco. Il padrone si mise le mani nei capelli. — E adesso chi va nel bosco a far tornare le vacche?

Nessuno dei mandriani ci voleva andare. Il padrone mandò il mandriano nuovo con un altro ragazzo. Entrarono nel bosco, e il ragazzo era pieno di paura.

Vedendo le vacche nel bosco, il Mago s'infuriò e venne avanti con in mano un bastone di ferro con sei punte di bronzo incatenate in cima. Il ragazzo se la faceva ad-

dosso dalla paura, e si nascose in una macchia. Il giovane invece attese il Mago a piè fermo.

— Traditore! Come osi venire a danneggiare la mia selva!

— Non solo vengo a danneggiare la tua selva, ma a danneggiare pure la tua vita! — e cominciarono a far battaglia.

Si batterono tanto, per tutta la giornata, che alla fine erano stanchi tutt'e due ma nessuno dei due era ancora ferito. E il Mago disse:

Se avessi una zuppa di pane e vino
Ti squarterei come un suino!

E il giovane:

Se avessi una zuppa di pane e latte
Ti spaccherei in due parti esatte!

Allora si salutarono, e fissarono di continuare il combattimento l'indomani. Il giovane si riprese le vacche e le ricondusse alla vaccaria insieme al ragazzo.

A vederli tornare sani e salvi, tutti rimasero a bocca aperta, e il ragazzo raccontò il gran combattimento che c'era stato tra il mandriano nuovo e il Mago, e le cose che s'erano dette, e che il Mago avrebbe voluto una zuppa di pane e vino e il giovane una zuppa di pane e latte. Allora il padrone ordinò che per l'indomani si preparasse un secchio di pane e latte e il ragazzo se lo portasse dietro e lo tenesse pronto.

Così condussero di nuovo le vacche nel bosco, ricomparve il Mago e ricominciarono il combattimento. Quando furono sul più bello il Mago disse:

Se avessi una zuppa di pane e vino
Ti squarterei come un suino!

Ma una zuppa di pane e vino non ce l'aveva. Invece il giovane disse:

Se avessi una zuppa di pane e latte
Ti spaccherei in due parti esatte!

e subito il ragazzo gli porse il secchio di pane e latte. Il giovane ne prese una mestolata, se la cacciò in bocca e subito diede una bastonata in testa al Mago che lo fece cascare in terra morto.

Spacca la pancia del Mago e trova il coniglio, spacca il coniglio e trova la colomba, spacca la colomba e trova le tre uova. Prese le tre uova, le conservò per bene e tornò con le vacche alla vaccaria. Lo ricevettero in trionfo. Il padrone voleva che restasse là nei suoi poderi, ma lui disse che non poteva trattenersi e, anzi, gli faceva un regalo del bosco del Mago. E se ne andò.

Arrivato alla città silenziosa, andò a Palazzo reale. Gli corse incontro quella bella giovane, lo prese per mano e lo portò nel gabinetto segreto dell'Imperatore Scorzone suo padre, prese la corona da Imperatore e gliela mise in capo dicendogli: — Tu sii l'Imperatore e io sia l'Imperatrice. — E incoronato che fu se lo portò sul balcone. Prese le tre uova e gli disse: — Buttane una a dritta, una a manca e l'altra davanti a te.

Appena le uova furono gettate, tutta la gente cominciò a parlare, a gridare, e da quel silenzio si passò a un gran clamore, le carrozze presero a correre, l'esercito si mise a fare gli esercizi, le sentinelle si dettero il cambio e tutti insieme, popolo e truppa, gridarono: — Evviva il nostro Imperatore! Evviva la nostra Imperatrice! — E loro restarono Imperatore e Imperatrice per tutta la vita, e noialtri poveri meschini come prima.

(Provincia di Palermo)

Un uomo aveva un figliolo che era il più bel figliolo che si fosse mai visto. Successe che il padre s'ammalò e un giorno chiamò il figlio: — Sandrino, sento d'essere vicino a morire. Portati bene e tieni da conto quel poco che ti lascio.

Morì, ma il figlio invece di tener da conto la roba e lavorare, in meno d'un anno, a forza di far baldoria, rimase sul lastrico. Allora si presentò al Re della città per sentire se lo prendeva al suo servizio. Il Re, visto quant'era bello questo giovane, lo prese per cameriere. La Regina, quando lo vide, le piacque subito tanto, che lo volle lei per cameriere privato. Ma appena Sandrino s'accorse che la Regina s'era innamorata di lui, pensò: "Sarà meglio che tagli la corda prima che il Re se n'accorga" e si licenziò. Il Re voleva sapere perché se ne voleva andare, ma lui disse che era per affari suoi, e partì.

Andò in un'altra città, e si presentò al Re che c'era lì, per vedere se lo prendeva a servizio. Il Re, visto questo gran bel giovane, disse subito di sì, e Sandrino entrò al Palazzo. Il Re aveva una figlia, che appena lo vide se ne prese una cotta da non capire più niente. La faccenda diventò tanto seria, che Sandrino fu costretto a licenziarsi prima che succedessero dei guai. Il Re, che non sapeva nulla, gli domandò il motivo di questa decisione, e lui disse che era per affari suoi, e il Re non poté dir più nulla.

Andò a stare da un Principe, ma s'innamorò di lui sua moglie, e andò via anche di là. Girò ancora cinque o sei padroni, e sempre faceva innamorare qualche donna e gli toccava andarsene. Il povero giovane malediva la sua bellezza, e arrivò a dire che per liberarsene avrebbe dato l'anima al Diavolo. Aveva appena detto queste parole, che gli si presentò un giovane gentiluomo. — Cos'avete da lamentarvi? — gli chiese, e Sandrino gli raccontò.

— Senti — gli disse il gentiluomo — io ti do questo paio di brache. Bada di tenerle sempre addosso e non togliertele mai. Io verrò a riprenderle tra sette anni in punto. In questo frattempo non ti devi mai lavare neanche la faccia, non devi tagliarti mai la barba, né i capelli, né le unghie. D'altro, puoi fare tutto quello che vuoi e star contento.

Dette queste parole, sparì, e si sentì suonare mezzanotte.

Sandrino si infilò le brache e si buttò a dormire là nell'erba. Si svegliò a giorno fatto, si stropicciò gli occhi, e subito si ricordò delle brache e di quel che gli aveva detto il Diavolo. S'alza e si sente le brache pesanti, si muove e sente un tintinnio di quattrini: aveva le brache piene di monete d'oro, e più ne tirava fuori più ne uscivano.

Andò in una città e prese alloggio a una locanda, nella stanza più bella che avevano. Tutto il giorno non faceva altro che tirar fuori soldi dalle brache e ammucchiarli. Ogni servizio che gli facevano dava una moneta d'oro; ogni povero che stendeva la mano, una moneta d'oro: così ne aveva sempre una processione alla sua porta.

Un giorno disse al cameriere: — Sai mica se c'è un palazzo da vendere? — Il cameriere gli disse che ce n'era uno proprio in faccia a quello del Re, e nessuno lo comprava perché costava troppo caro. — Fammelo avere — disse Sandrino — e ti darò la tua parte. — Il cameriere si diede d'attorno e gli fece comprare il palazzo.

Sandrino cominciò a farlo ammobiliare tutto a nuovo. Poi fece foderare di ferro tutte le stanze a pianterreno, e murare gli usci. Chiuso lì dentro passava le giornate a buttar fuori monete. Quando una stanza era piena passava a un'altra e così riempì tutte le stanze da basso. Il tempo passava, i capelli e la barba gli erano cresciuti da non farlo più riconoscere. Le unghie poi erano lunghe come pettini per cardare la lana, tanto che ai piedi doveva portare sandali come quelli dei frati perché non gli stavano più nelle scarpe. Su tutta la pelle gli venne una crosta spessa un dito: insomma, non pareva più un uomo ma una bestia. Le brache per tenerle pulite le copriva di biacca o di farina.

Bisogna sapere che al Re di quella città era stata intimata la guerra da un altro Re suo vicino, e lui era disperato perché non aveva quattrini per sostenerla. Un giorno chiamò l'Intendente.

— Che c'è di nuovo, Sacra corona?

— Siamo tra l'incudine e il martello — disse il Re. — Non ho più un soldo per far la guerra.

— Sacra corona, c'è quel signore qui vicino che ha tanti quattrini che non sa più dove metterli. Posso andare a chiedergli se ci presta cinquanta milioni. Alla peggio ci risponderà di no.

L'Intendente si presentò a Sandrino da parte del Re, gli fece tanti complimenti e poi gli disse l'ambasciata.

— Dica pure a Sacra corona che son pronto a servirlo — disse Sandrino — a patto che in cambio mi dia una delle sue figlie in moglie, una qualsiasi delle tre che per me è lo stesso.

— Farò l'ambasciata — disse l'Intendente.

— Allora aspetto la risposta entro tre giorni — disse Sandrino — se no mi tengo sciolto da ogni impegno.

Quando il Re sentì la cosa, disse: — O povero me! Quando le mie figlie vedranno quest'uomo che sembra una bestia, chissà cosa diranno! Dovevi almeno dirgli che ti desse un ritratto, tanto per preparare le ragazze.

— Vado a domandarglielo — disse l'Intendente.

Sandrino, quando seppe la richiesta del Re, chiamò un pittore, si fece fare il ritratto e lo mandò al Re. Quando il Re vide quella bestia, fece un passo indietro gridando: — Possibile che una delle mie figlie voglia un muso come questo!

Ma, tanto per tentare, fece chiamare la più grande, e le spiegò la cosa. La ragazza gli si rivoltò contro. — A me, fai di queste proposte! Ma ti sembra che un uomo così si possa sposare? — E gli voltò la schiena senza più dir parola.

Il Re si buttò giù in una poltrona nera che teneva per le giornate sfortunate, e restò lì più morto che vivo. Il giorno dopo si fece coraggio, e fece chiamare la figliola mezzana, già pronto al peggio. La ragazza venne, lui le fece lo stesso discorso che alla prima, e le fece capire che dalla sua risposta dipendeva la salvezza del Regno. — Ebbene, signor padre — disse la ragazza un po' incuriosita — mi faccia vedere questo ritratto.

Il Re le porse il ritratto, lei lo prese, ma appena gli ebbe dato un'occhiata, lo buttò lontano come avesse preso in mano un serpente. — Signor padre! Non l'avrei mai creduto capace di offrire in sposo a sua figlia una bestia. Ora so io il bene che mi vuole! — E così smaniando e lamentandosi andò via.

Il Re si disse: "E andiamo pure in rovina, basta che

non debba più parlare di questo matrimonio con nessuna delle mie figlie. Se tanto m'hanno detto queste due, figuriamoci cosa mi dirà la piccina, che è la più bella." Si sprofondò nella poltrona nera e dette ordine che per quel giorno non aprissero a nessuno. Le figlie non lo videro venire a pranzo, ma non domandarono nemmeno cos'avesse. Solo la piccina, senza dir parola, scese e andò a trovare il padre. Cominciò a fargli cento moine, e a dirgli: — Ma perché è così mortificato, papino? Andiamo, s'alzi da questa poltrona, stia un po' allegro, se no mi metto a piangere anch'io.

E cominciò a pregarlo e supplicarlo di dirle quel che aveva, tanto che il Re le raccontò le cose come stavano. — Ah, sì? — disse la ragazza. — E mi mostri questo ritratto, vediamo.

Il Re aperse un cassetto e le diede il ritratto. La Zosa (così si chiamava la ragazza) si mise a guardarlo da tutte le parti e cominciò a dire: — Vede, signor padre? Sotto questi capelli così lunghi e arruffati, vede che bella fronte? La pelle è nera, questo è vero, ma se fosse lavata sarebbe tutt'un'altra cosa. Vede che belle mani, se non ci fossero quelle unghiacce? E i piedi, anche quelli! E così tutto il resto. Stia allegro, signor padre, me lo sposerò io.

Il Re prese la Zosa tra le sue braccia e non finiva più di abbracciarla e baciarla. Poi chiamò l'Intendente e lo mandò a dire a quel signore che sua figlia la più piccina era disposta a sposarlo.

Sandrino, appena lo seppe, disse: — Sta bene, siamo intesi. Dite pure a Sacra corona che può disporre di cinquanta milioni, anzi, venite pure a prenderli subito, e portatevi un sacchetto da riempire anche per voi, perché voglio mostrare la mia gratitudine. Dite a Sacra corona che non pensi a dar niente alla sposa, perché voglio farle tutto io.

Quando le sorelle seppero del fidanzamento di Zosa,

cominciarono a prenderla in giro, ma lei non ci badava e le lasciava cantare.

L'Intendente andò a prendere i quattrini e Sandrino gli riempì un gran sacco di quelle solite monete d'oro. — Adesso bisognerà contarle — disse l'Intendente — perché mi pare che ce ne sia di più della somma pattuita.

— Fa niente — rispose Sandrino — un po' di più o un po' di meno io non ci bado.

Poi mandò da tutti i gioiellieri della città a prendere quel che avevano di più bello: orecchini, catenine, braccialetti, spille, anelli con brillanti grossi come nocciole. Dispose tutto su un vassoio d'argento e mandò quattro dei suoi camerieri a presentare i regali alla sposa.

Il Re gongolava, la figlia passava ore a provarsi i gioielli, le sorelle cominciarono a sentirsi mordere dall'invidia e dicevano: — Sarebbe meglio fosse un po' più bello.

— A me basta che sia buono — diceva la Zosa.

Intanto Sandrino aveva fatto chiamare i più bravi sarti, cuffieri, calzolai, cucitori di bianco, e quelli dei nastri, e quelli delle pezze; ordinò tutto quel che ci voleva per il corredo, e disse che entro quindici giorni doveva essere pronta ogni cosa.

Si sa che coi quattrini si fa tutto, e difatti, di lì a quindici giorni, tutto fu pronto: camicie di tela tanto fina che ci si passava da una parte all'altra con un soffio, ricamate fino ai ginocchi, sottane con pezze di fiandra alta un braccio, fazzoletti così pieni di ricami che non c'era neanche il posto per soffiarsi il naso, abiti di seta di tutti i colori, di broccato d'oro e d'argento guarnito di gemme, di velluto rosso o turchino.

La sera prima delle nozze, Sandrino si fece riempire quattro tinozze di acqua calda e fredda. Quando le tinozze furono preparate, Sandrino saltò in quella piena d'acqua più calda, e ci stette finché la scorza di sporcizia che aveva addosso gli si fu un po' ammorbidita, poi saltò nell'altra tinozza calda e cominciò a sfregarsi la pelle: gli venivano giù certi trucioli che pareva un falegname. Erano sette anni che non si lavava! Quando si fu tolto la più grossa, saltò nell'altra tinozza, piena d'acqua profumata appena tiepida. E lì prese a insaponarsi e la sua bella pelle d'una volta cominciava a farsi riconoscere. Poi, saltò nell'altra tina, piena d'acqua di Colonia e d'acqua di Felsina e ci rimase un bel po' a darsi l'ultima sciacquata. — Presto il barbiere! — Venne il barbiere, lo tosò come una pecora, poi lo lavorò coi ferri per arricciare e con pomate, e alla fine gli tagliò le unghie.

La mattina dopo, quando scese di carrozza per andare a prendere la sposa, le sorelle che stavano alla finestra per vedere venire quel mostro, si videro davanti un bellissimo giovane. — Chi sarà? Sarà uno mandato dallo sposo per non mostrarsi lui in persona.

Anche la Zosa pensò che fosse un amico, e montò in carrozza. Arrivata al palazzo, disse: — E lo sposo?

Sandrino prese il suo ritratto di prima e le disse: — Guarda bene quegli occhi, guarda quella bocca. Non mi riconosci?

La Zosa dalla gioia non capiva più niente. — Ma come mai ti eri ridotto in quello stato?

— Non chiedermi altro — disse lo sposo.

Le sorelle, a vedere che lo sposo era lui, creparono d'invidia. E al banchetto di nozze guardavano Zosa e Sandrino che pareva se li volessero mangiare con gli occhi, e dicevano tra loro: — Daremo l'anima al Diavolo, per non vederli più così felici.

Proprio quel giorno scadevano i sette anni che aveva detto il Diavolo e a mezzanotte doveva venire a riprendere le brache a Sandrino. Lo sposo, alle undici, salutò tutti gli invitati e disse che voleva restare in libertà. — Sposa

mia — disse alla Zosa quando furono soli — tu va' pure
a letto, che io verrò più tardi. — La Zosa si disse: "Chissà cos'ha per la testa!", ma, aiutata dalle sue donzelle, si
spogliò e andò a letto.

Sandrino aveva fatto un fagotto delle brache del Diavolo, e lo aspettava. Aveva mandato a dormire tutta la servitù; era solo; e s'accorse tutt'a un tratto che aveva la pelle d'oca e il cuore in gola. Suonò la mezzanotte.

Tremò la casa. Sandrino vide il Diavolo che veniva verso di lui. Gli porse il fagotto. — Prendetevi le vostre brache! Ecco, prendetevele! — disse.

— Dovrei prendermi la tua anima, adesso — disse il
Diavolo.

Sandrino tremava.

— Ma siccome invece della tua anima me n'hai fatto
trovare altre due, proseguì il Diavolo — prenderò quelle,
e a te, ti lascio in pace!

L'indomani mattina, Sandrino dormiva beato accanto alla sua sposa. Venne il Re a dar loro il buon giorno e
a chiedere alla Zosa se sapeva nulla delle sue sorelle, che
non s'erano più viste. Andarono nella stanza delle sorelle e
non trovarono nessuno, ma sulla tavola c'era un biglietto:
Siate maledetti! Per voi siamo dannate e ci porta via il Diavolo.

Allora Sandrino capì chi erano le due anime che il Diavolo aveva preso invece della sua.

(Bologna)

Le Principesse maritate al primo che passa

C'era una volta un Re con quattro figli: tre femmine e un maschio, che era il Principe ereditario. Venuto in agonia il Re chiamò il Principe e gli disse: — Figlio, io muoio: quel che ti comando dovrai farlo. Quando le tue sorelle saranno giunte all'età di maritarsi devi farle affacciare al balcone, e il primo che passerà per strada dovrai darlo loro per marito, sia villano, maestro o galantuomo.

Quando la più grande venne in età di marito si mise al balcone. Passò un uomo a piedi scalzi.

— Amico, fermatevi un momento.

— Cosa comanda, Maestà? — disse l'uomo. — Mi lasci andare, che ho i porci chiusi in stalla e devo portarli a pascolare.

— Siediti: abbiamo da dirci due parole in confidenza. Ti devo dare mia sorella maggiore per moglie.

— Vostra Maestà vuol scherzare: io non sono che un povero porcaro.

— E sposerai mia sorella, perché sia fatta la volontà di mio padre.

Così la Principessa e il porcaro si sposarono e lasciarono il palazzo.

Ecco che venne l'ora di sposare la seconda sorella. La mise al balcone, e il primo che passò lo chiamò in casa.

— Vostra Maestà mi lasci andare. Ho teso i lacciuoli e devo andare a vedere se ci si sono impigliati degli uccelli.

— Non importa, sali un momento che t'ho da parlare.

E gli propose di sposare la sorella. — Maestà, come è possibile? — disse l'uomo — sono un povero uccellatore, non posso imparentarmi con un Re.

— Così ha decretato mio padre — disse il giovane Re, e la seconda sorella fu data in moglie all'uccellatore e partì con lui.

Quando la terza sorella si mise al balcone, passò un beccamorto, e il fratello, per quanto a malincuore, perché era molto affezionato alla sorella minore, la mandò sposa al beccamorto.

Rimasto solo nel palazzo, senza più le sorelle, il giovane Re pensò: "Vediamo; se facessi come le mie sorelle, chi mi toccherebbe di sposare?" e si mise al balcone. Passò in fretta una vecchia lavandaia, e lui la chiamò: — Comare, comare, aspettate un momento…

— E che volete?

— Salite un momento, che vi ho da parlare di premura!

— Ma che premura e premura! Premura l'ho io che devo andare al fiume a lavare questi panni.

— Insomma, salite! Ve lo ordino!

Ma sì, andar a dar ordini alle vecchie. Gli si voltò contro e gli lanciò una imprecazione: — Andate a cercarvi la bella Fiorita! — Si voltò e andò via.

Il Re si sentì tremare e dovette appoggiarsi al balcone. Fu preso da una gran nostalgia e credeva che fosse per

le sorelle che aveva perduto, e invece era quel nome della bella Fiorita che gli s'era conficcato nel cuore. Si disse: "Bisogna che io lasci questa casa, e giri il mondo finché non troverò la bella Fiorita."

Cammina cammina, girò mezzo mondo, e nessuno sapeva dargli notizie della bella Fiorita. Erano tre anni che era in viaggio, quando un giorno si trovò in una campagna e cominciò a incontrare una mandria di porci, e poi un'altra, e un'altra ancora, e così andava avanti in mezzo a un mare di porci e facendosi largo tra questi porci si trovò dinanzi a un gran palazzo. Bussò e disse: — Ehi, di casa! Datemi alloggio per stanotte!

La porta del palazzo s'aperse e apparve una gran dama, vide il Re e gli buttò le braccia al collo: — Fratello mio! — E il Re riconobbe la sua sorella maggiore, che era stata sposata a un porcaro: — Sorella mia!

Ed ecco venne anche il cognato porcaro, vestito da gran signore, e gli fecero vedere il magnifico palazzo che abitavano, e gli dissero che anche le altre due sorelle ne avevano di eguali.

— Io vado cercando la bella Fiorita — disse il Re.

— Noi non sappiamo della bella Fiorita — disse lei: — ma va' dalle nostre sorelle che forse ti potranno aiutare.

— E se ti troverai in pericolo — disse il cognato che era stato porcaro — tieni queste tre setole di porco; ti basterà gettarne una in terra e ti toglierai da ogni impaccio.

Ripreso il viaggio, il Re dopo molto cammino si trovò in un bosco. Su ogni ramo del bosco c'erano posati uccelli, da un albero all'altro c'erano uccelli che passavano a volo e il cielo non si vedeva dagli uccelli d'ogni specie che vi aleggiavano; e tutti cinguettavano insieme, in un coro assordante. In mezzo a quel bosco sorgeva il palazzo della seconda sorella, che stava ancora meglio della prima, col marito che da povero uccellatore era diventato gran signore. Neanche loro sapevano nulla della bella Fiorita, e indirizzarono il Re dalla terza sorella, ma prima di salutarlo, il cognato gli diede tre penne d'uccelli, che bastava ne gettasse una in terra trovandosi in un pericolo, e si sarebbe certo salvato.

Il Re continuò il suo viaggio e a un certo punto ai due lati della strada cominciò a vedere delle tombe e queste tombe si facevano sempre più fitte, e tutt'intorno nella campagna ormai non si vedevano che tombe. Così arrivò al palazzo della terza sorella che gli era ancora più cara delle altre, e il cognato che era stato beccamorto gli diede un ossicino di morto, e gli disse che se si fosse trovato in pericolo, gli bastava gettasse l'ossicino. E la sorella gli disse che sì, sapeva la città dove abitava la bella Fiorita, anzi l'avrebbe indirizzato da una vecchia, cui lei aveva fatto del bene, e che certo l'avrebbe aiutato.

Il giovane arrivò al paese della bella Fiorita, che era la figlia del Re. E in faccia al palazzo del Re, c'era proprio la casa di quella vecchia, che accolse con gratitudine il fratello della sua benefattrice. Dalla finestra della casa della vecchia il giovane Re poté vedere la bella Fiorita che s'affacciava all'alba, coperta da un velo, un fior di bellezza che lui, a vederla, se la vecchia non lo teneva, sarebbe cascato giù dal davanzale.

— Ma non provatevi a chieder la sua mano, Maestà — disse la vecchia. — Il Re di questo paese è crudele, e ai pretendenti propone delle prove impossibili, e fa tagliar la testa a chi non riesce.

Ma il giovane non ebbe paura e si presentò al padre della bella Fiorita a chieder la sua mano. Il Re lo fece chiudere in un fruttaio sterminato, tutto scaffali pieni di mele e pere e gli disse che se non le avesse mangiate tutte in un giorno, gli avrebbe fatto tagliar la testa. Il giovane si ricordò delle setole di porco del cognato porcaro, e le gettò in terra. Subito s'udì un coro di grugniti e da tutte le parti entrarono porci, porci, porci, un mare di porci grugnenti e grufolanti che mangiarono tutto quello che trovarono, buttarono giù tutti gli scaffali e mangiarono tutte le mele e tutte le pere senza lasciarne neppure un torsolo.

— Bravo — disse il Re — sposerai mia figlia. Ma c'è la seconda prova. La prima notte che passerai con lei devi riuscire ad addormentarla col canto degli uccelli, i più belli e i più armoniosi che si siano mai visti e uditi. Se no domani ti farò tagliar la testa.

Lo sposo si ricordò delle tre penne di suo cognato uccellatore e le gettò per terra. Ed ecco l'aria fu oscurata da una nuvola d'uccelli, con le ali e le code di ogni colore, che si posarono sugli alberi, sulle guglie, sui tetti e cominciarono a cantare con una musica così soave che la Principessa s'addormentò con un dolcissimo sorriso sulle labbra.

— Sì — disse il suocero — ti sei meritata mia figlia. Però visto che siete sposi, già domattina dovete farmi trovare un bambino che sappia dire babbo e mamma. Se no taglierò la testa a te e a lei.

— Fino a domani c'è tempo — rispose lo sposo e congedandosi dal Re rimase con la bella Fiorita.

Al mattino, si ricordò dell'ossicino del cognato beccamorto. Lo gettò in terra ed ecco che l'ossicino si trasformò in un bel bambino con una mela d'oro in mano, che chiamava babbo e mamma.

Entrò il Re suocero e il bambino gli andò incontro e gli voleva mettere quella mela d'oro in cima alla corona. Il Re allora baciò il bambino, benedisse gli sposi e toltasi la corona, la mise in testa al genero, che così ne ebbe due.

Fecero una gran festa a cui parteciparono anche il cognato porcaro, il cognato uccellatore e il cognato beccamorto con le loro spose.

(Basilicata)

FIABE DI ANIMALI MAGICI

LA ROSINA NEL FORNO

A un pover'uomo morì la moglie giovane e lui restò con una bella bambina di nome Rosina. Ma lui dovendo lavorare non poteva badarle, perciò si scelse un'altra donna come seconda sposa, e anche da questa seconda ebbe una bambina, chiamata Assunta, che venne su bruttina. Le bambine crebbero assieme, andavano assieme a scuola e in giro, e ogni volta l'Assunta tornava a casa piena d'astio. — Mamma — diceva a sua madre — io con la Rosina non voglio uscire più. La gente che c'incontra fa tanti complimenti a lei, dice che è bella che è rosata che è garbata, e a me dice che sono nera come un tizzo di carbone.

— Che cos'importa, se sei mora? — le rispondeva la madre. — Nasci da me che sono un po' scura di carnagione. È quella la tua bellezza.

— Pensatela come volete, mamma — replicava l'Assunta. — Io a ogni modo con la Rosina non ci esco più.

Vedendo sua figlia struggersi per l'invidia, la madre,

che per lei avrebbe dato gli occhi, le disse: — Ma che cosa posso fare?

E l'Assunta: — Mandatela a pascolare le vacche e datele una libbra di canapa da filare. Se torna alla sera con le vacche affamate e senza la canapa filata perbene, picchiatela. Picchia oggi picchia domani, diventerà brutta.

Benché un po' a malincuore, la matrigna si piegò ai capricci della figlia, e chiamata la Rosina le disse: — Tu con l'Assunta non occorre che ci vai più. Andrai a badare alle vacche e a fargli l'erba, e intanto filerai anche questa libbra di canapa. Se torni a casa la sera senza che la canapa sia filata e senza che le vacche siano satolle, ti farò vedere io. Patti chiari, amici cari.

La Rosina, che non era abituata a sentirsi comandare con quel tono, restò ammutolita dallo stupore. Ma poiché la matrigna aveva già preso un bastone in mano, non le restò che ubbidire. Andò nei campi con le vacche, con la rocca piena di canapa, e per strada ripeteva: — Vacchine mie! Come farò a segarvi l'erba, se ho da filare tutta questa roccata di canapa? Qualcuna bisognerà che ci rimetta!

A queste parole una delle vacche più vecchie voltò il muso e le disse: — Non sgomentarti, Rosina: tu falciaci l'erba e noi ti fileremo e ammatasseremo tutta la canapa. Basta che tu dica:

Vacchicina, vacchicina,
Con la bocca fila fila,
Con le corna annaspa annaspa,
Fammi presto la matassa.

Quando la Rosina ritornò, a buio, riportò le vacche nella stalla ben pasciute, e in testa aveva un bel fastello d'erba, e sotto il braccio una matassa da una libbra di canapa filata. L'Assunta, a quella vista, la rabbia se la mangiava viva. Disse alla madre: — Domani mandatela di nuovo con le vacche, ma di canapa datele due libbre, e se non la fila tutta, legnate.

Ma anche stavolta, bastò che la Rosina dicesse:

Vacchicina, vacchicina,
Con la bocca fila fila,
Con le corna annaspa annaspa,
Fammi presto la matassa,

e la sera le vacche erano satolle, il fastello dell'erba raccolto e le due libbre di canapa filate e ammatassate.

— Ma come fai — le chiese l'Assunta, verde di bile — a far tutte queste cose in una giornata!

— Cosa vuoi — le disse la Rosina — s'incontrano sempre delle buone creature. M'hanno aiutato le mie vacchine.

L'Assunta corse subito dalla madre: — Mamma, domani la Rosina tenetela in casa a far le faccende, che con le vacche ci vado io, e datemi pure la canapa da filare.

Sua madre l'accontentò e l'Assunta andò con le vacche. Teneva una bacchetta in mano, e per farle andar avanti, giù botte sul groppone e sulla coda. Arrivata al prato mise la canapa sulle corna delle vacche. E quelle, ferme.

— Avanti! Perché non filate! — gridava l'Assunta, e giù botte con la sua bacchetta. Le vacche incominciarono a rigirare le corna e fecero arruffare tutta la canapa, tanto che diventò un batuffolo di stoppa.

L'Assunta non si poteva dar pace e un giorno disse alla madre: — Mamma, ho voglia di mangiare raperonzoli. Stasera mandate la Rosina a coglierli nel campo di quel contadino.

Sua madre, per contentarla, comandò alla Rosina d'andare a cogliere i raperonzoli da quel contadino. — Come? — fa la Rosina. — Volete che vada a rubare? Ma queste son cose che io non ho mai fatte. Senza contare che il contadino, se vede qualcuno che gli entra nel campo così di notte, mi spara dalla finestra!

Era proprio quello che sperava l'Assunta; e le disse, perché ora aveva preso a comandarla anche lei: — Sì, sì, devi andare, se no sono legnate!

Così la Rosina si mise ad andare per la notte, e scavalcò la siepe, entrò nel campo del contadino, e invece dei raperonzoli trovò una rapa. S'attaccò alla rapa, per sradicarla, e tira tira, finalmente la strappò via, e scoperse un nido di rospi che era lì sotto, con cinque rospette piccine piccine. — Uh, che carine! — fece, e le prese in grembo, facendo loro un mucchio di moine; ma una le cascò in terra e si ruppe uno zampino. — Oh scusami, rospicina, non l'ho fatto apposta! — disse.

Le quattro rospette che aveva fatto accoccolare in grembo, vedendola così gentile, dissero: — Bella ragazza, tu sei gentile, vogliamo ricompensarti. Che tu diventi la più bella del mondo e splenda quanto il sole, anche quando è nuvolo. E così sia.

Ma la rospetta azzoppata brontolò: — Io no che non la trovo tanto gentile: a me m'ha azzoppata, poteva star più attenta! Che appena vede un raggio di sole si trasformi in una serpe, e non possa mai ritornare donna se non entrerà in un forno infuocato.

La Rosina tornò a casa mezzo allegra e mezzo spaventata; e intorno a lei nella notte ci si vedeva come di giorno, perché la sua bellezza mandava una gran luce. La matrigna e la sorellastra quando la videro ancora tanto imbellita da splendere come il sole, rimasero a bocca aperta. E lei raccontò loro tutto quel che le era successo nel campo dei raperonzoli.

— Di tutto questo io non ho colpa — concluse. — Fatemi almeno la carità di non mandarmi al sole, se no divento serpe.

Da allora in poi Rosina non usciva mai di casa quando

c'era sole ma solo dopo il tramonto, o quando il cielo era nuvoloso. E passava le giornate alla finestra, in ombra, lavorando e cantando. Da quella finestra si partiva un gran chiarore, che si vedeva tutt'intorno.

Un giorno passò per strada il figlio del Re e a quel gran chiarore alzò gli occhi e la vide. "Chi può essere una tal bellezza in una capannuccia da contadini?" Ed entrò in casa. Così si conobbero, e la Rosina gli raccontò tutta la sua storia, e la maledizione che le pesava sul capo.

Il figlio del Re disse: — A me di quel che potrà succedere non m'importa: voi siete troppo bella per stare in questa capannuccia. Ho deliberato che diventiate la mia sposa.

Intervenne la madre: — Maestà, faccia attenzione, lei si mette in un impiccio. Rifletta un po' sul fatto che la prima volta che la tocca un raggio di sole, diventa serpe.

— Questi non sono affari vostri — disse il figlio del Re. — Mi pare che voi a questa ragazza le vogliate male. Ma io vi comando di mandarmela a palazzo: io farò venire una carrozza tutta chiusa perché per la strada non la tocchi il sole. Per voi, d'ora in avanti i quattrini non vi mancheranno certo. Arrivederci e siamo intesi.

La matrigna e l'Assunta, a denti stretti, non potendo disubbidire al figlio del Re, si misero a fare con mal garbo i preparativi per la partenza di Rosina. Finalmente arrivò la carrozza, una di quelle carrozze all'antica, tutte chiuse, con solo un occhio in cima, e con dietro un cacciatore tutto in fronzoli, con le penne sul cappello e la spada penzoloni. La Rosina entrò in carrozza e la matrigna montò con lei per tenerle compagnia. Ma prima di salire, aveva preso da parte il cacciatore e gli aveva detto: — Galantuomo, se volete dieci paoli di mancia, aprite l'occhio della carrozza quando ci batte sopra il sole.

— Sissignora — aveva risposto il cacciatore — come lei comanda.

La carrozza correva correva, e quando fu mezzogiorno e il sole ci batteva sopra a picco, il cacciatore spalancò l'occhio e un raggio picchiò sulla testa della Rosina, che subito si trasfigurò in una serpe e fuggì via fischiando per il bosco.

Il figlio del Re quando aperse la carrozza e non trovò Rosina, e seppe quel che era successo, sgomento e lacrimante stava per ammazzare la matrigna. Ma poi, gli dissero e gli ripeterono che il destino della Rosina era quello, e che se non succedeva questa volta sarebbe successa un'altra; e lui finì per rabbonirsi, pur rimanendo tutto triste e sconsolato.

Intanto i cuochi avevano già tutta la roba nei forni e sui fornelli e sugli spiedi per il banchetto di nozze, e gli invitati erano già tutti a tavola. Saputo che la sposa era scomparsa, nondimeno pensarono: "Visto che ci siamo, il banchetto facciamolo lo stesso!" E i cuochi ebbero ordine di scaldare il forno. Un cuoco stava mettendo dentro al forno acceso un fastello di stipa che gli avevano portato allora allora dal bosco, quando vide che nel fastello c'era rimpiattata una serpe. Non fece in tempo a levarla, perché il fastello aveva già preso fuoco. Lui continuava a guardare nella bocca del forno per vedere la serpe, ed ecco che dalle fiamme salta fuori una ragazza senza vesti, fresca come una rosa, splendente più del fuoco e del sole. Il cuoco restò come di sasso, poi cominciò a gridare:
— Correte! Correte! M'è apparsa una fanciulla nel forno!

A quel grido, il figlio del Re si precipitò nella cucina, e dietro di lui tutta la Corte. Riconobbe Rosina, la prese tra le sue braccia, e così si fecero le nozze e Rosina visse da allora felice e contenta e senza più dispetti da nessuno.

(Toscana)

C'era una vedova con un figlio che si chiamava Giuanin. A tredici anni voleva andarsene per il mondo a far fortuna. Gli disse sua madre: — Cosa vuoi andare a fare per il mondo? Non vedi che sei ancora piccolo? Quando sarai capace di buttar giù quel pino che è dietro casa nostra con un colpo di piede, allora partirai.

Da quel giorno, tutte le mattine appena alzato, Giuanin prendeva la rincorsa e saltava a piè pari contro il tronco del pino. Il pino non si spostava e lui cadeva in terra lungo disteso. Si rialzava, si scrollava la terra di dosso, e si ritirava nel suo cantuccio.

Finalmente un bel mattino saltò contro l'albero con tutte le sue forze e l'albero s'inchinò, s'inchinò, le radici uscirono dalla terra e s'abbatté sradicato. Giuanin corse da sua madre, che venne a vedere, controllò ben bene e disse: — Ora, figlio mio, tu puoi andare dove vuoi. — Giuanin la salutò e si mise in marcia.

Dopo giorni e giorni di cammino arrivò a una città. Il

Re di quella città aveva un cavallo che si chiamava Rondello, che nessuno era capace di cavalcare. Tutti quelli che ci provavano, nel primo momento pareva che ci riuscissero, poi li buttava tutti giù. Giuanin stette un po' lì a vedere, e s'accorse che il cavallo si metteva paura della sua ombra. Allora s'offerse lui, di domare Rondello. Gli andò vicino nella stalla, lo chiamò, lo carezzò, poi tutt'a un tratto gli saltò in sella e lo portò fuori tenendogli il muso contro il sole. Il cavallo non vedeva l'ombra e non si spaventava; Giuanin lo strinse coi ginocchi, tirò la briglia e partì al galoppo. Dopo un quarto d'ora era domato, ubbidiente come un agnellino; ma non si lasciava montare da nessun altro che da Giuanin.

Da quel giorno il Re prese Giuanin a suo servizio, e gli voleva tanto bene che gli altri servitori cominciarono a rodersi d'invidia. E si misero a pensare come potevano sbarazzarsi di lui.

Bisogna sapere che quel Re aveva una figlia, e che questa figlia anni prima era stata rapita dal Mago Corpo-senza-l'anima e nessuno ne sapeva più niente. I servitori andarono a dire al Re che Giuanin s'era vantato pubblicamente d'andarla a liberare. Il Re lo mandò a chiamare; Giuanin cascava dalle nuvole e gli disse che non ne sapeva niente. Ma il Re che al solo pensiero che si volesse scherzare su quell'argomento perdeva il lume degli occhi, gli disse: — O me la liberi, o ti faccio tagliare la testa!

Giuanin, visto che non c'era modo di fargli intendere ragione, si fece dare una spada arrugginita che tenevano appesa al muro, sellò Rondello e partì. Traversando un bosco, vide un leone che gli fece segno di fermarsi. Giuanin aveva un po' paura del leone, ma gli rincresceva di fuggire, così scese di sella e gli domandò cosa voleva.

— Giuanin — disse il leone — vedi che siamo qui in quattro: io, un cane, un'aquila e una formica: abbiamo questo asino morto da spartirci; tu hai la spada, fai le parti e assegnane una a ciascuno! — Giuanin tagliò la testa dell'asino e la diede alla formica: — Tieni: questa ti servirà da tana e dentro troverai da mangiare finché vorrai. — Poi tagliò le zampe e le diede al cane: — Qui tu hai da rosicchiare finché vuoi! — Tagliò fuori le budella e le diede all'aquila: — Questo è cibo per te, e puoi anche portartelo in cima agli alberi dove ti poserai! — Tutto il resto lo diede al leone che era il più grosso dei quattro e gli spettava. Risalì a cavallo e stava già per ripartire quando si sentì chiamare. "Ahi" pensò, "non avrò fatto le parti giuste!" Ma il leone gli disse: — Sei stato un buon giudice e ci hai servito bene. Cosa possiamo darti in segno di riconoscenza? Ecco una delle mie grinfie; quando te la metterai diventerai il leone più feroce che ci sia al mondo. — E il cane: — Ecco uno dei miei baffi, quando lo metterai sotto il naso diventerai il cane più veloce che si sia mai visto. — E l'aquila: — Ecco una penna delle mie ali; potrai diventare l'aquila più grande e forte che voli nel cielo. — E la formica: — E io, io ti do una delle mie gambine, e quando tu te la metterai diventerai una formichina, ma così piccina, così piccina che non si potrà vederla neanche con la lente.

Giuanin prese tutti i regali, disse grazie ai quattro animali, e partì. Alle virtù di quei regali non sapeva ancora se crederci o non crederci, perché poteva darsi che l'avessero preso in giro. Ma appena fu lontano dalla loro vista si fermò, e fece la prova. Diventò leone cane aquila formica e poi formica aquila cane leone e poi aquila formica leone cane e poi cane formica leone aquila e fu sicuro che funzionavano bene. Tutto contento riprese il cammino.

Finito un bosco c'era un lago e sul lago un castello. Era il castello del Mago Corpo-senza-l'anima. Giuanin si trasformò in aquila e volò fino al davanzale d'una finestra chiusa. Poi si trasformò in formica e penetrò nella stanza

attraverso una fessura. Era una bella camera e sotto un baldacchino dormiva la figlia del Re. Giuanin, sempre formica, andò a passeggiarle su una guancia finché si svegliò. Allora Giuanin si tolse la zampina di formica e la figlia del Re si vide tutt'a un tratto un bel giovane vicino.

— Non aver paura! — egli disse facendole cenno di tacere — sono venuto a liberarti! Bisogna che ti fai dire dal Mago come si fa per ammazzarlo.

Quando il Mago tornò, Giuanin ridiventò formica. La figlia del Re accolse il Mago con mille moine, lo fece sedere ai suoi piedi, gli fece posare la testa sulle sue ginocchia. E prese a dirgli: — Mago mio caro, io so che tu sei un corpo senza l'anima e quindi non puoi morire. Ma ho sempre paura che si scopra dove hai l'anima e ti si riesca a uccidere, così sto in pena.

Allora il Mago le rispose: — A te posso dirlo, tanto tu stai chiusa qui dentro e non mi puoi tradire. Per uccidermi ci vorrebbe un leone tanto forte da ammazzare il leone nero che è nel bosco; ucciso il leone, dalla sua pancia uscirà un cane nero così veloce che per raggiungerlo ci vorrebbe il cane più veloce del mondo. Ucciso il cane nero, dal suo ventre uscirà un'aquila nera che non so quale aquila oserebbe sfidarla. Ma se anche l'aquila nera fosse uccisa, bisognerebbe portarle via dal ventre un uovo nero, e questo uovo rompermelo sulla fronte, perché la mia anima voli via e io resti morto. Ti pare facile? Ti pare il caso di stare in pena?

Giuanin con le sue orecchiuzze da formichina, stava a sentire tutto, e coi suoi passettini uscì dalla fessura, e tornò sul davanzale. Lì si cambiò di nuovo in aquila e volò nel bosco. Nel bosco si cambiò in leone e prese a girare tra le piante finché non trovò il leone nero. Il leone nero gli s'avventò ma Giuanin era il leone più forte del mondo e lo sbranò. (Nel castello, il Mago si sentì girar la testa.) Aperta la pancia del leone ne saettò fuori un cane nero velocissimo, ma Giuanin diventò il cane più veloce del mondo e lo raggiunse e rotolarono insieme mordendosi finché il cane nero restò a terra morto. (Nel castello il Mago si dovette mettere a letto.) Aperta la pancia al cane, ne volò via un'aquila nera, ma Giuanin diventò l'aquila più grande del mondo e insieme presero a girare per il cielo lanciandosi beccate e colpi d'artiglio, finché l'aquila nera non chiuse le ali e cadde a terra. (Nel castello, il Mago aveva una febbre da cavallo e stava rannicchiato sotto le coperte.)

Giuanin, tornato uomo, aperse la pancia all'aquila e vi trovò l'uovo nero. Andò al castello e lo diede alla figlia del Re tutta contenta.

— Ma come hai fatto? — gli disse lei.

— Roba da niente — disse Giuanin — adesso tocca a te. La figlia del Re andò in camera dal Mago. — Come stai?

— Ahi, povero me, qualcuno m'ha tradito…

— T'ho portato una tazza di brodo. Bevi.

Il Mago si rizzò a sedere sul letto e si chinò per bere il brodo.

— Aspetta che ci rompo un uovo dentro, così è più sostanzioso — e così dicendo la figlia del Re gli ruppe l'uovo nero sulla fronte. Il Mago Corpo-senza-l'anima restò lì morto sul colpo.

Giuanin ricondusse dal Re sua figlia, tutti felici e contenti e il Re gliela diede subito in sposa.

(Liguria)

Un contadino andava a segare il prato tutti i giorni, e a mezzogiorno le sue tre figlie gli portavano da mangiare. Un giorno andò la prima, e quando fu nel bosco, essendo stanca, si sedette su una pietra a riposare. Appena si sedette, sentì dare un gran picchio sottoterra, e da sotto la pietra uscì una biscia. La ragazza lasciò il cesto e, gambe aiutami!, scappò via: e quel giorno il padre restò a pancia vuota. Tornò a casa e sgridò le ragazze.

L'indomani ci andò la seconda. Si sedé sulla pietra e capitò lo stesso: gambe aiutami! Allora la terza disse: — A me, a me! Io non ho paura — e invece d'un paniere di roba da mangiare se ne portò due. Quando sentì dare il picchio e vide la biscia, le diede un paniere di roba e la biscia le parlò: — Portami a casa con te — disse — farò la tua fortuna — e la ragazza se la mise nel grembiule. Portò l'altro paniere al padre nel prato, poi tornò a casa e mise la biscia sotto il letto. La biscia ogni giorno diventava più grossa; tanto che sotto il letto non ci stava più.

Andò via, ma prima di partire lasciò in dono alla ragazza tre sorti: che piangendo le cadessero lacrime di perle e argento, che ridendo le cadessero dal capo chicchi di melagrana d'oro, e che lavandosi le mani le uscissero di tra le dita pesci d'ogni qualità.

Quel giorno in casa non c'era nulla da mangiare, e il padre e le sorelle erano disperati dal digiuno, ma lei subito provò a lavarsi le mani, e la catinella si riempì di pesci. Le sorelle diventarono invidiose e persuasero il padre che c'era qualcosa sotto, ed era meglio chiudere la ragazza nel solaio.

Dalla finestra del solaio, la ragazza guardava nel giardino del Re, e c'era il figlio del Re che giocava alla palla. Giocando alla palla, fece uno scivolone e cadde in terra, e la ragazza scoppiò a ridere. Ridendo le cadde giù una pioggia di chicchi di melagrana d'oro. Il figlio del Re non riusciva a capire da dov'erano caduti, perché la ragazza aveva subito chiuso la finestra.

L'indomani, tornando in giardino per giocare alla palla, il figlio del Re vide che c'era nato un melograno, già alto e carico di frutti. Fa per cogliere le melagrane, ma l'albero cresceva a occhiate, e bastava alzare una mano perché i rami s'alzassero d'un palmo. Visto che nessuno riusciva a cogliere neanche una foglia da quell'albero, il Re fece radunare i Savi perché gli spiegassero l'incanto. E il più vecchio di tutti i Savi disse che poteva cogliere quei frutti solo una ragazza, e quella sarebbe stata la sposa del figlio del Re.

Allora il Re mandò fuori il bando che tutte le ragazze da marito venissero al giardino, pena la testa, per provare a cogliere le melagrane. Vennero ragazze d'ogni semenza, ma per raggiungere quei frutti non bastavano scale né scalette. Vennero anche le due figlie più grandi del contadino e cascarono dalla scala a gambe all'aria. Il Re mandò a frugare nelle case se trovavano altre ragazze, e così scovarono quella chiusa nel solaio. Appena accompagnata alla pianta, i rami s'inchinarono e le porsero in mano le melagrane. Tutti gridarono: — Ecco la sposa! Ecco la sposa! — e il figlio del Re per primo.

Furono preparate le nozze, e le sorelle sempre invidiose erano invitate anche loro alla festa. Andando tutte e tre sulla stessa carrozza, in mezzo a un bosco si fermarono. Le due grandi fecero scendere la piccola, le tagliarono le mani, le cavarono gli occhi e la lasciarono per morta in un cespuglio. La più grande si mise la veste da sposa e così si presentò al figlio del Re. Il figlio del Re non capiva come mai fosse tanto imbruttita, ma siccome un po' le assomigliava, credette d'essersi sbagliato lui a crederla così bella.

La ragazza senz'occhi e senza mani rimase a piangere nel bosco. Passò un cavallante e ne ebbe compassione; la fece salire sul suo asino per portarla a casa sua. Lei gli disse che guardasse in terra: c'era pieno di perle e argento, che erano le lagrime della ragazza. Il cavallante le andò a vendere e fece più di mille lire: così viveva contento, anche se quella ragazza senz'occhi e senza mani non poteva lavorare e aiutare la famiglia.

Un giorno la ragazza sente una biscia che le si attorciglia a una gamba: era la biscia sua amica. — Sai di tua sorella che ha sposato il figlio del Re ed è diventata Regina perché il Re vecchio è morto? Ora aspetta un bambino e ha voglia di fichi.

La ragazza disse al cavallante: — Caricatevi una soma di fichi e andateli a portare alla Regina.

— Come faccio a trovare dei fichi di quest'epoca? — disse il cavallante. Difatti, era d'inverno.

Ma la mattina dopo andò nell'orto e il fico era carico di frutti, così senza foglie com'era. Lui ne riempì due corbe e le caricò sull'asino.

— Chissà quanto posso chiedere per dei fichi d'inverno? — disse il cavallante.

— Dovete chiedere un paio d'occhi — disse la ragazza.

Lui così fece, ma né la Regina, né il Re, né sua sorella si sarebbero mai cavati gli occhi. Allora parlottarono un po' tra sorelle e dissero: — Diamogli pure quelli di nostra sorella, tanto cosa ce ne facciamo? — e comprarono i fichi con quegli occhi.

Il cavallante riportò gli occhi alla ragazza che se li rimise al loro posto, e tornò a vederci come prima.

Poi, la Regina ebbe voglia di pesche e il Re mandò a chiamare quel cavallante, se mai potesse trovare pesche come aveva trovato fichi. Alla mattina dopo, nel suo orto, il pesco era carico di pesche, e lui con l'asino ne portò subito una soma in Corte. Gli chiesero quanto ne voleva e lui disse: — Un paio di mani.

Ma nessuno si voleva tagliare le mani, neanche per far piacere al Re. Allora le sorelle, parlando tra loro: — Diamogli quelle di nostra sorella.

Quando la ragazza riebbe le sue mani se le riattaccò alle braccia e guarì.

Dopo poco tempo, alla Regina invece d'un bambino nacque uno scorpione. Ma il Re fece dare lo stesso una festa in cui tutto il mondo era invitato. E la ragazza si vestì da Regina ed era la più bella della festa. Il Re se ne innamorò e innamorandosene s'accorse che era la sua sposa di prima. Lei rise e caddero chicchi d'oro, pianse e caddero perle, si lavò le mani e faceva pesci nel catino. E così ridendo e piangendo e facendo chicchi, perle e pesci gli raccontò tutta la storia.

Le due cattive sorelle e lo scorpione furono bruciati in una catasta di legna alta come una torre. Lo stesso giorno ci fu il gran pranzo di nozze.

Fecero tanto lusso e spatusso
Ma io ero dietro l'uscio,
Per mangiare andai all'osteria
E così finisce la storia mia.

(Monferrato)

C'era una volta un vecchio contadino che aveva un figlio e una figlia. Quando venne a morire, li chiamò al suo capezzale e disse: — Figlioli miei, sto per morire e non ho nulla da lasciarvi: solo tre pecorine nella stalla. Cercate d'andar d'accordo, e non avrete da patir la fame.

Quando fu morto, fratello e sorella seguitarono a stare assieme: il ragazzo andava dietro alle pecore e la ragazza stava a casa a filare e a far da mangiare. Un giorno che il ragazzo era con le pecore nel bosco, passò un omino con tre cani.

— Buon giorno a te, bambino.

— Buon giorno a lei, omino.

— Che belle pecorelle hai!

— Anche lei ha tre bei cani.

— Ne vuoi comprare uno?

— Quanto costa?

— Se mi dai una pecorella, io ti do uno dei miei cani.

— E poi cosa mi dice mia sorella?

— Cosa ti deve dire? Di un cane avete pur bisogno, per guardare le pecore!

Il ragazzo si persuase: gli dette una pecora e si prese un cane. Chiese come si chiamava e l'omino gli disse: — Spezzaferro.

Quando fu ora d'andare a casa, aveva il cuore che gli batteva perché certo sua sorella l'avrebbe strapazzato. Difatti, quando la ragazza andò per mungere le pecore nella stalla, vide che c'erano due pecore e un cane, e cominciò a dirgliene di tutti i colori e a bastonarlo.

— Che ce ne facciamo d'un cane, me lo sai dire? Se domani non mi riporti tutte e tre le pecore, te la faccio vedere io!

Ma poi si persuase che per far la guardia alle pecore, un cane ci voleva.

L'indomani il ragazzo andò nello stesso posto e incontrò di nuovo quell'omino con i due cani e la pecorella.

— Buon giorno a te, bambino.

— Buon giorno a lei, omino.

— La pecorella mi muore di malinconia — disse l'omino.

— Anche il mio cane muore di malinconia — disse il bambino.

— Allora dammi un'altra pecorella e io ti do un altro cane.

— Mamma mia! Mia sorella mi voleva mangiare, per una pecora sola! Figuriamoci se ne do via un'altra!

— Guarda: un cane solo non ti serve a niente: se vengono due lupi come ti salvi?

E il ragazzo acconsentì.

— Come si chiama?

— Schiantacatene.

Quando rincasò alla sera con una pecora e due cani, e la sorella gli domandò: — Le hai riportate tutte e tre, le pecorelle? — non sapeva cosa rispondere.

Disse: — Sì, però non c'è bisogno che tu venga nella stalla, le mungo io.

Ma la ragazza volle andare a vedere e il fratello finì a letto senza cena. — Se domani non tornano tutte e tre le pecore io t'ammazzo — gli disse la sorella.

L'indomani, mentre pascolava nel bosco, vide passare l'omino con le due pecore e l'ultimo cane.

— Buon giorno a te, bambino.

— Buon giorno a lei, omino.

— Io ora ho questo cane che muore di malinconia.

— E la mia pecorella anche.

— Dammi quella pecorella e prenditi questo cane.

— No, no, non parliamone nemmeno.

— Ora ne hai due: perché non vuoi il terzo? Almeno avrai tre cani uno meglio dell'altro.

— Il suo nome?

— Spaccamuro.

— Spezzaferro, Schiantacatene, Spaccamuro, venite con me.

Quando fu sera, il ragazzo di tornare a casa dalla sorella non ebbe il coraggio. "È meglio che vada a girare il mondo" pensò.

E cammina e cammina, con i cani che gli battevano la strada per boschi e per valli. Cominciò a piovere a dirotto, s'era fatto buio e non sapeva più dove andare. In fondo al bosco, vide un bel palazzo illuminato, cinto da un alto muro. Il ragazzo bussa; nessuno apre. Chiama; nessuno risponde. Allora: — Spaccamuro, aiutami tu.

Non aveva ancora finito di dirlo, che Spaccamuro con due zampate aveva rotto la muraglia.

Il ragazzo e i cani passarono, ma si trovarono di fronte a una fitta cancellata di ferro. — Spezzaferro, a te! — disse il ragazzo, e Spezzaferro con due morsi, mandò il cancello in pezzi.

Ma il palazzo aveva una porta, chiusa da pesanti catenacci. — Schiantacatene! — chiamò il ragazzo, e il cane con un morso liberò la porta che s'aperse.

I cani s'infilarono per le scale, e il ragazzo dietro. Nel palazzo non si vedeva anima viva. C'era un bel caminetto acceso e una tavola imbandita con ogni ben di Dio. Si sedette a mangiare, e sotto la tavola c'erano tre scodelle con la zuppa per i cani. Finito di mangiare andò di là e c'era un letto pronto per dormire e tre cucce per i cani. La mattina quando s'alzò trovò preparato lo schioppo e il cavallo per andare a caccia. Andò a caccia, e quando rincasò trovò la tavola preparata con il pranzo, il letto rifatto, e tutto lustro e pulito. Così passavano i giorni, e lui non vedeva mai nessuno, e tutto quel che desiderava l'aveva, insomma viveva da signore. Allora cominciò a pensare a sua sorella, che poverina chissà che vita grama faceva, e si disse: "Voglio andare a prenderla e farla stare insieme a me, tanto adesso che si sta così bene non mi sgriderà più se non riporto a casa le pecore."

L'indomani prese con sé i cani, montò a cavallo, tutto vestito da signore, e andò a casa da sua sorella. Quando arrivò, la sorella, che stava sulla soglia a filare, lo vide venire da distante e disse: — Chi sarà mai quel bel signore che viene da me? — Ma quando vide che era suo fratello sempre con quei cani invece delle pecore, cominciò a fargli una delle solite sue scene.

Ma il fratello le disse: — Va' là; cosa vuoi ancora sgridarmi, che io faccio una vita da signore e sono venuto a prenderti con me, ora che non abbiamo più bisogno delle pecore!

La issò a cavallo e la condusse nel palazzo dove visse anche lei da gran signora. Tutto quel che le veniva in mente, subito l'aveva. Però i cani continuava a non poterli soffrire, e tutte le volte che il fratello rincasava, lei riattaccava a brontolare.

Un giorno che il fratello era andato a caccia coi tre cani, lei uscì in giardino e vide laggiù in fondo una bella melarancia; andò per coglierla e mentre la spiccava dal ramo, saltò fuori un Drago e le s'avventò contro per mangiarla. Lei cominciò a piangere e a raccomandarsi, a dire che non era lei, ma suo fratello che era entrato per primo nel giardino, e che caso mai doveva esser mangiato suo fratello. Il Drago le rispose che suo fratello non si poteva mangiare perché era sempre con quei tre cani. La ragazza chiese al Drago che le dicesse cosa doveva fare, e lei, pur di salvarsi la vita, gli avrebbe fatto mangiare suo fratello; e il Drago le disse di far legare i cani con catene di ferro, al di là del cancello e del muro del giardino. La ragazza promise e il Drago la lasciò andare.

Quando il ragazzo tornò a casa, la sorella cominciò a brontolare che non voleva più avere intorno quei cagnacci mentre mangiava, perché puzzavano. E il fratello, che aveva sempre la pazienza di contentarla in tutto, andò a legarli come lei diceva. Poi lei gli disse d'andarle a prendere quella melarancia che era in fondo al giardino, e il ragazzo ci andò. Stava per spiccarla, quando saltò fuori il Drago. Il ragazzo, comprendendo il tradimento della sorella, chiamò: — Spezzaferro! Schiantacatene! Spaccamuro! — E Schiantacatene schiantò le catene, Spezzaferro spezzò le sbarre del cancello, Spaccamuro aperse il muro a zampate; arrivarono addosso al Drago e lo sbranarono.

Il ragazzo tornò dalla sorella e disse: — Basta! È questo il bene che mi vuoi? Mi volevi far mangiare dal Drago! Adesso con te non ci voglio più stare.

Salì a cavallo e andò in giro per il mondo, coi tre cani. Arrivò da un Re, che aveva una sola figlia, e c'era un Drago che se la doveva mangiare. Si presentò dal Re e gli disse che voleva questa figlia in sposa. Il Re gli disse: — Mia figlia non te la posso dare perché la deve man-

giare un terribile animale; se però tu sei buono a liberarla, resta inteso che è tua!

— Bene, Maestà, ci penso io; non vi preoccupate. — Andò a cercare il Drago, l'attaccò e i cani se lo mangiarono.
Tornò vincitore e il Re lo fidanzò a sua figlia.

Venne il giorno delle nozze, e lo sposo, dimenticando
quel che era stato, fece venire sua sorella. Dopo lo sposa-
lizio, la sorella che aveva sempre il dente avvelenato contro il fratello disse: — Stasera voglio preparare io il letto
a mio fratello — e tutti, credendo a un gesto di brava sorella, dissero di sì. Invece lei, nel posto dello sposo, mise sotto le lenzuola una sega affilata. La sera il fratello si
coricò e restò tagliato in due. Lo portarono in chiesa con
gran pianti, coi tre cani fedeli dietro al feretro: poi chiuse-
ro la porta e i tre cani restarono dentro a guardare la salma, uno dalla parte destra, uno dalla parte sinistra e uno
dalla parte della testa.

Quando i cani videro che non c'era più nessuno, uno
di loro parlò e disse: — Ora vado e lo piglio.

E un altro: — E io lo porto.

— E io l'ungo — disse il terzo.

Così due dei cani andarono via e tornarono con un va-
setto di unguento, e l'altro che era rimasto di guardia unse la ferita con quell'unguento e il giovane tornò sano di
nuovo.

Il Re fece ricercare chi aveva messo la sega nel letto, e
scoperto che era stata la sorella, la fece condannare a morte.

Il giovane ora era felice con la sua sposa, tanto più che il
vecchio Re, stanco, abdicò e lui salì sul trono. Ma aveva un
unico dispiacere, che i tre cani erano spariti e per quanto
li avesse fatti cercare per tutto il Regno non era stato possibile trovarli. Pianse, si disperò, ma dovette rassegnarsi.

Una mattina, gli fu annunziato un Ambasciatore, e
quest'Ambasciatore gli fece noto che c'erano tre basti-

menti ancorati al largo che portavano tre gran personaggi, e questi personaggi volevano riannodare la loro antica amicizia con lui. Il giovane Re sorrise, perché lui era stato sempre un contadino, e gran personaggi non ne aveva mai conosciuti. Ciononostante seguì l'Ambasciatore per incontrare questi che si dichiaravano suoi amici. Trovò due Re e un Imperatore che gli fecero grandi feste dicendogli: — Non ci riconosci?

— Ma guardate che dovete esservi sbagliati — disse lui.

— Ah, non avremmo mai creduto che ti saresti dimenticato dei tuoi fedelissimi cani!

— Come? — esclamò lui. — Spezzaferro, Schiantacatene e Spaccamuro? Trasformati in questo modo?

Gli risposero: — Eravamo stati trasformati in cani da un Mago, e non potevamo tornare quelli che eravamo, finché un contadino non fosse messo in trono. Dunque dobbiamo esser grati a te, come tu devi esser grato a noi, perché ci siamo aiutati a vicenda. D'ora in avanti saremo sempre buoni amici e in ogni circostanza ricordati che hai due Re e un Imperatore sempre disposti ad aiutarti.

Si trattennero diversi giorni in città, tra grandi feste. Venuto il giorno della partenza, si divisero augurandosi ogni bene e furono sempre felici.

(Romagna)

C'era una madre vedova con due figlie femmine e un maschio che si chiamava Peppi e non sapeva come buscarsi un pezzo di pane. La madre e le sorelle filavano, e Peppi disse: — Madre, sapete cosa vi dico? Vi domando bella licenza e me ne vado sperso per il mondo.

Andando, vide una masseria, chiese: — Avete bisogno di un picciotto? — Gli risposero: — Eh, eh! Cane, cane! — e gli abbaiarono i cani dietro.

Peppi andò, e già veniva scuro quando incontrò un'altra masseria. — Viva Maria!

— E viva Maria! Che abbiamo?

— Se aveste bisogno d'un picciotto…

— Oh — dice — sì, siedi, siedi: ci dev'essere il boaro che se ne va. Aspetta che vado a chiederlo al padrone.

E uno andò su a chiederlo al padrone, il quale disse: — Sì, fagli fare colazione, che quando scendo ne parliamo.

Così gli misero davanti un pane e un piatto di ricotta, e lui si mise a mangiare. Mentre scendeva il padrone, gli venne avanti il boaro. — È vero che te ne vai? — disse il padrone. — Sissignore — fece il boaro. Allora il padrone disse a Peppi: — Domattina vai coi buoi, ma senti, figlio mio: qua se ci vuoi stare c'è il semplice mangiare e nulla più.

— Io ci sto — disse Peppi. — Sia quello che vuol Dio.

Passò la notte e poi alla mattina si prese il pane, un po' di companatico e andò coi buoi. Stava tutto il giorno coi buoi, Peppi, e alla sera tornava a casa. S'avvicinava carnevale, e Peppi tornava a casa con tanto di muso.

Il curatolo gli diceva: — Peppi!

— Oh!

— Che hai?

— Niente!

Alla mattina andava via coi buoi, sempre intrombato in viso, quando incontrò il padrone. — Peppi.

— Oh!

— Che hai?

— Niente!

— Niente, Peppi? Perché non me lo dici?

— Che ci ho da dirvi? Sta venendo carnevale, e neanche stavolta mi darete un po' di soldi che vada a far festa con mia madre e le sorelle?

— Ih! Di tutto mi puoi discorrere, fuorché di soldi: se vuoi pane, quanto ne vuoi, ma soldi no.

— E se dovessi comprare un po' di carne, come faccio?

— I patti te li ho fatti prima: non so cosa dirti.

Faceva giorno e Peppi se ne andava con i suoi santi buoi. E si sedette sempre malinconioso. Sentì chiamare: — Peppi? — Si voltò da ogni parte, pensò: "È l'apprensione che ho in cuore che mi fa sentire quel che non c'è."

Ma ancora si sentì chiamare: — Peppi! Peppi!

— Ma chi è che mi chiama?

Si voltò un bue: — Sono io.

— Come? Parli?

— Io sì che parlo. Che hai che metti un muso così lungo?

— Cos'ho da avere? Viene carnevale e il padrone non mi dà niente.

— Senti come devi dirgli, Peppi, stasera, quando ci vai. Gli devi dire: «E neanche il bue vecchio mi date?» A me il padrone non mi può vedere, perché non ho mai voluto lavorare, e mi regalerà a te. Hai capito?

La sera Peppi tornò a casa col viso come una tromba lunga sette canne, e il padrone gli disse: — Peppi, che hai, sempre con questa tromba?

— Ho da dirvi una cosa: neanche il bue vecchio mi volete dare, che ha più anni lui della civetta? Almeno, quando arrivo a casa lo scanno e metto un po' a mollo quella sua carne dura.

— Pìgliatelo — disse il padrone — ti regalo anche un pezzo di corda per portartelo via.

L'indomani appena giorno Peppi si prese il bue, una bisaccia, otto pani, il berretto in capo e andò al paese. In un pianoro, due campieri a cavallo arrivarono correndo: — Il toro! Il toro! Guarda a te, guarda a te! Sta arrivando un toro che t'ammazza!

Il bue, piano: — Digli, Peppi: «Se lo prendo, me lo date?»

Peppi lo disse, e quelli: — Magari! Ma non puoi, quello ammazza te e il bue insieme.

Il bue gli disse: — Peppi, mettiti dietro a me, e non aver paura. — Arrivò il toro con le narici aperte, a muso a muso contro il vecchio bue, e cominciarono a darsi spintoni, e il bue vecchio era così duro che il toro dopo un po' restò intronato.

— Peppi, pigliало — disse il bue vecchio — e legalo accoppiato alle mie corna. — Peppi legò il toro, salutò i campieri, e tirò avanti.

Arrivato che fu in un paese di passaggio, udì un bando:

Chiunque si sente di lavorare e finire in un giorno una salma di terra, si piglia la figlia del Re in moglie; se è sposato, due tumuli di monete d'oro; se non ce la fa, il collo tagliato.

Peppi portò i buoi al fondaco e andò a presentarsi al Re. Le sentinelle non volevano farlo passare perché era tutto stracciato, ma s'affacciò il Re in persona e lo fece passare.

Salì e disse: — Ai piedi di Sua Maestà.

— Cos'abbiamo?

— Intesi il bando, ho due buoi, e vorrei vedere se posso farcela io con quella salma di terra. (Salma di terra vuol dire una certa estensione di terreno.)

— Ma l'hai inteso tutto, il bando?

— L'intesi: se non ce la faccio, ne va il collo di mezzo. Maestà deve darmi l'aratro e un po' di fieno perché io non ho niente, essendo di passaggio.

— Porta i buoi nella mia scuderia — disse il Re — e govèrnateli. — Lui andò a prendere i buoi e li portò là: e il bue vecchio gli disse: — A me mezza manna di fieno, al toro una manna. — La mattina Peppi prese l'aratro, quattro manne di fieno e andò. Si fece insegnare la terra, aggiogò i buoi, e si mise sotto ad arare.

I Consiglieri guardavano dal balcone dirimpetto, e dissero al Re: — Maestà, che sta facendo? Non vede che quello là sta finendo d'arare? Le vuol dare quel brutto villano a sua figlia?

Il Re disse: — E voialtri cosa mi consigliate?

— A mezzogiorno gli mandi una gallina al forno, del sedano tenero e una bottiglia di vino oppiato…

Mandarono una serva a portare a Peppi questo mangiare. — Venite a mangiare che raffredda! — Lui non aveva da arare che un triangolo di terra grande quanto un cappello da prete. Andò a mangiare, e diede mezza manna al bue vecchio e una manna al toro. Poi si mise a sbocconcellare la pollastra e a bere vino. Se lo bevve tutto, si mangiò tutta la gallina e si buttò a dormire. Il bue vecchio mangiò il suo fieno, aspettò che il toro finisse il suo, e intanto lasciava che Peppi dormisse. Quando ebbe finito di mangiare anche il toro, cominciò a scuotere Peppi con la zampa.

— Ah… ah… — faceva Peppi nel sonno.

— Alzati — diceva il bue — alzati che ne va di mezzo il collo!

S'alzò, si lavò la faccia, aggiogò i buoi, e più addormentato che sveglio finì di lavorare il pezzetto di terra e si mise a ripassarlo.

— L'oppio era poco: accidenti! — dissero i Consiglieri dal balcone.

Peppi ci dava dentro con l'anima e alle dieci di sera ce l'aveva fatta: tornò a palazzo, diede fieno ai buoi e salì dal Re: — Papà, mi benedica.

— Oh. Hai finito? Cosa vuoi: due tumuli di monete d'oro?

— Scapolo sono, Maestà, che me ne faccio delle monete d'oro? Ora è moglie che voglio prendere.

Lo presero, lo lavarono da capo a piedi e lo vestirono da principe. Anche l'orologio gli misero. E si sposò.

Il bue vecchio gli disse: — Ora che ti sposi mi devi ammazzare e tutte le mie ossa le devi mettere in una corba e andarle a piantare una per una nella terra che hai arato; devi lasciar fuori solo una zampa, e devi metterla dentro il tuo materasso. La mia carne devi dire al cuoco che la può cucinare come vuole: da carne di coniglio, di lepre, di pollame, di tacchino, di maiale e anche di pesce.

Così Peppi scannò il bue vecchio. Il Re non voleva, perché ci s'era affezionato anche lui, ma Peppi disse: — No, papà, ammazziamolo, e così non avrete da comprar carne per il banchetto di nozze. — E ordinò al cuoco di cuci-

nare la carne del bue come carne di ogni sorta di animali. Ci fu una gran tavolata; cominciarono a portare i piatti e tutti erano contenti: — Questa è lepre… Questo è coniglio… Bestia giovane, questa… Bella carne!

La sera, appena la sposa si fu addormentata, Peppi infilò la zampa del bue sotto il materasso, si caricò su una spalla la corba con le ossa, andò a seminare le ossa con tutte le regole, e tornò a letto che sua moglie non aveva sentito niente. La moglie si sveglia dopo un po' e dice: — Oh, che sogno ho fatto! Mi pareva come tante ciliegie, tante mele che mi pendessero in bocca: e tante rose, tanti gelsomini… Mi pare ancora di averli sotto gli occhi… — Tende una mano e coglie una mela.

— Non è sogno, non è sogno: questa è mela che si tocca! — E il marito risponde: — Non è sogno, non è sogno; son ciliegie che ho già in bocca! — e tendeva la mano e coglieva ciliegie.

Venne il Re ad augurare il buon giorno e trovò la camera piena di fiori e frutti fuori tempo. Si mise a mangiarli anche lui.

I Consiglieri s'affacciarono al balcone e il loro sguardo cadde sulla terra che aveva lavorato Peppi: era piena d'alberi fitti di tutte le specie. Chiamarono il Re: — Guardi Vostra Maestà: non son alberi laggiù nella terra arata da Peppi? — Il Re aguzzava gli occhi: — Ma sì: non è un abbaglio! Andiamo là a vedere — e si misero in carrozza.

Arrivati là c'erano aranci, limoni, susini, ciliegi, viti, peri, tutti carichi di frutti. Il Re colse un po' di frutta e tornò a casa contento.

Bisogna sapere che il Re aveva altre due figlie, sposate con figli di principi. E queste figlie cominciarono a domandare alla sorella: — Ma tutte queste cose le fa tuo marito?

— E io che ne so? — rispose lei.

— Sciocca, domandagli come fa.

— Eh, stasera gli domando.

— Brava, e poi diccelo subito.

La sera, a letto, la sposa cominciò a fargli domande e lui, perché lo lasciasse dormire, le confidò tutto. L'indomani lei lo disse alle sorelle, e le sorelle ai mariti. Mentre erano tutti insieme col Re, i cognati dissero: — Facciamo una scommessa, cognato Peppi?

— E quale?

— Che siamo capaci a dire come avete fatto a far crescere tutti questi alberi.

— Scommettiamo.

— Allora: voi tutta la roba che avete avuto qui, noi tutto quello che possediamo.

Andarono da un notaio e stesero l'atto.

Allora i cognati gli dissero tutto. Peppi, che si fidava di sua moglie, pensò: "E chi glielo ha detto? Il Sole?"

Diede a loro tutta la sua roba e restò un morto di fame come prima. Si mise in marcia, con la sua bisaccia, vestito da villano, e arrivò a una capanna. Bussò.

— Chi è?

— Sono io, padre eremita.

— E che vai cercando?

— Mi sapreste dire dove spunta il Sole?

— Ih, figlio, per stasera dormi qua e domattina ti mando da un altro eremita che è più vecchio di me.

La mattina all'alba l'eremita gli diede una pagnotta, e Peppi lo salutò: cammina cammina arrivò a un'altra capanna e c'era un eremita con la barba bianca fino alle ginocchia.

— Padre reverendo, sia benedetto.

— Che abbiamo, che abbiamo?

— Mi sa dire dove spunta il Sole?

— Ih! figlio, cammina finché trovi un altro padre più vecchio di me.

Peppi domandò bella licenza e camminò fino a un'altra capanna e baciò la mano all'eremita. — Gran padre, sia benedetto...

— Che vai cercando?

— Mi sa dire dove spunta il Sole?

— Ih! figlio... Mah... forse tu ci arriverai. Senti, tieni questo spillo. Cammina: sentirai ruggire un leone; tu grida: «Compare leone, vi manda a salutare il vostro compare eremita, e vi manda lo spillo per togliervi la spina dalla zampa, e per soprasaluto mi dovete far parlare con il Sole.»

Così Peppi fece e tolse la spina al leone che disse: — Ah, m'hai ridato la vita!

— Ora mi dovete far parlare col Sole.

Il leone lo guidò fin dove c'era un mare grande con l'acqua nera. — Qui s'affaccia il Sole, ma prima del Sole s'affaccia un serpente e tu gli devi dire: «Compare serpente, vi manda a salutare vostro compare il leone, e per soprasaluto dovete farmi parlare col Sole.»

Il leone se ne andò e Peppi vide l'acqua tramestare: s'affacciò il serpente, e Peppi gli disse parola per parola come gli aveva insegnato il leone. Disse il serpente: — Presto, buttati in acqua e infilati sotto le mie ali, se no i raggi del Sole ti bruceranno.

Peppi si mise sotto un'ala. Spuntò il Sole e il serpente disse: — Va', Peppi, di' al Sole quello che hai da dirgli, prima che se ne vada.

E Peppi: — O Sole traditore, tu solo mi potevi ingannare, e non me lo dovevi fare, traditore!

E il Sole: — Io? Non fui io che t'ingannai. E sai chi fu? Tua moglie, cui confidasti il segreto.

— Allora scusa, Sole — disse Peppi. — Ma c'è un piacere che puoi farmi soltanto tu, Sole mio: dovresti tramontare a mezzanotte e mezzo, così mi ripiglio la mia roba.

— Va' pure, che questo piacere te lo faccio volentieri.

Peppi ringraziò tutti e domandò bella licenza. Tornò a

casa, la moglie gli aveva preparato il brodo; si ristorò e si sedette un po' al fresco. Passarono i suoi cognati figli di principi. — Cognati — disse lui — adesso facciamo un'altra scommessa.

— E cosa scommetti? Di roba non ne hai più.

— Be', io ci scommetto il collo e voialtri la mia roba.

— Bene, allora tu il collo, noi la roba tua e anche la nostra; ma cos'è questa scommessa?

Allora Peppi disse: — Il Sole quando tramonta?

— Bene, è diventato matto, non sa neanche quando tramonta il Sole — dissero tra loro i cognati. E a lui: — Ma come? Alle nove e mezzo, tramonta!

— E io dico che tramonta a mezzanotte e mezzo!

Andarono a stendere l'atto e si misero a guardare il Sole. Alle nove e mezzo il Sole stava per tuffarsi giù, quando Peppi gli fa: — O Sole, è questa la parola che m'hai dato?

Allora il Sole si ricordò e invece di tramontare, la tirò in lungo, la tirò in lungo, fino a mezzanotte e mezzo.

— Non ve l'avevo detto? — fece Peppi.

— Hai ragione — fecero i cognati e gli ridiedero subito la sua roba e anche la loro.

— Ebbene — disse Peppi — vi voglio mostrare il cuore d'un villano. — (Loro lo chiamavano sempre villano.) Prende e gli restituisce la loro roba. — Tenete qua, che io la roba degli altri non la voglio, voglio la mia.

Peppi riprese a far la vita di prima con sua moglie; il Re lo volle abbracciare, e si toglie la corona e la mette in testa a Peppi. I cognati, si capisce, mangiavano rabbia ma non davano a vedere. L'indomani ci fu una bellissima tavolata con tutti i parenti: si divertirono, un piatto andava e un piatto veniva, e all'ultimo ci fu anche il caffè, il gelato e la cassata e così Peppi da bovaro morto di fame diventò Reuzzo.

(Sicilia)

FIABE DI OGGETTI MAGICI

La figlia del Re che non era mai stufa di fichi

Un Re mise fuori un bando, che chi era buono di stufare sua figlia a forza di fichi l'avrebbe avuta in moglie. Ci andò uno con un paniere e non faceva a tempo a porgerle i fichi che lei se li mangiava. Quando se li ebbe mangiati tutti disse: — Ancora!

C'erano tre ragazzi in un campo che vangavano. Disse il più grande: — Di vangare non ne ho più voglia. Voglio andare a vedere se stufo la figlia del Re a fichi.

Salì sul fico e ne colse un bel paniere. Si mise in strada; incontrò un vicino che gli disse: — Dammi un fico.

— Non posso — lui rispose — voglio stufare la figlia del Re e non so se ne ho abbastanza. — E continuò la sua strada.

Si presentò alla figlia del Re e le mise davanti i fichi. Se non faceva presto a tirarlo via, si mangiava anche il paniere.

Tornò a casa e il fratello di mezzo disse: — Anch'io ne ho basta di vangare. Vado a provare se stufo la figlia del Re a fichi.

Andò sull'albero, riempì il paniere, e via. Incontrò il vicino che gli disse: — Dammi un fico.

Il fratello alzò le spalle e continuò la strada. Ma anche lui se non faceva presto a portare via il paniere, la figlia del Re gli mangiava anche quello.

Allora il più piccino disse che andava lui.

Camminava col suo paniere pieno di fichi, e il vicino domandò un fico pure a lui. — Anche tre — disse il più piccino e gli porse il paniere.

Il vicino mangiò un fico, poi gli diede una bacchetta e gli disse: — Quando sarai là, non hai che da picchiare in terra questa bacchetta, e il paniere appena vuotato tornerà a riempirsi.

La figlia del Re mangiò tutti i fichi del paniere, ma il più piccino batté la bacchetta e il paniere fu di nuovo pieno. Dopo due o tre di questi colpi, la figlia del Re disse a suo padre: — Uff, questi fichi! Ne sono proprio stufa!

E il Re gli disse: — Hai vinto, ma se la vuoi sposare, bisogna che vai a invitare sua zia, che sta di là del mare.

Quando sentì questo, il più piccino ci restò male e andò via. Sulla strada del ritorno, ritrovò il vicino sulla porta di casa e gli raccontò la sua sfortuna. Il vicino gli diede una trombetta. — Va' sulla riva del mare e suona. La zia della figlia del Re che sta di là sentirà suonare e verrà di qua, e tu la condurrai dal Re.

Il più piccino suonò la trombetta e la zia venne di qua del mare. Il Re quando vide la zia, disse: — Bravo. Però per sposarti devi avere l'anello d'oro che s'è perso in fondo al mare.

Il più piccino tornò dal vicino, che gli disse: — Torna sulla riva del mare e suona la trombetta.

Lui suonò, e saltò fuori un pesce che aveva in bocca l'anello. Il Re quando vide l'anello disse: — In questo sacco ci sono tre lepri per il banchetto di nozze, ma sono

troppo magre. Portale a pascolare nel bosco per tre giorni e tre notti, poi rimettile nel sacco e riportale qui.

Ma come si fa a riacchiappare delle lepri nel bosco? Il vicino, quando glielo chiese, disse: — Alla sera suona la trombetta, e le lepri correranno dentro il sacco.

Così il più piccino pascolò le lepri in mezzo al bosco per tre giorni e tre notti. Ma il terzo giorno venne nel bosco la zia, vestita da non farsi riconoscere, e gli disse: — Cosa fai, bel giovane?

— Bado a tre lepri.

— Vendimene una.

— Non posso.

— Dimmi quanto ne vuoi.

— Cento scudi.

La zia gli diede cento scudi, si prese la lepre e andò via.

Il più piccino aspettò che fosse arrivata quasi a casa, poi suonò la trombetta. La lepre scappò di tra le mani alla zia, corse nel bosco e tornò dentro il sacco.

Ci andò la figlia del Re, vestita da non farsi riconoscere.

— Che fai?

— Bado a tre lepri.

— Vendimene una.

— Non posso.

— Quanto ne vuoi?

— Trecento scudi.

Glieli diede e portò via la lepre. Ma quando fu vicina a casa, il più piccino suonò la trombetta e la lepre le scappò di tra le mani e corse corse finché non tornò nel sacco.

Ci andò il Re, vestito da non farsi riconoscere. — Cosa fai?

— Bado a tre lepri.

— Vendimene una.

— Tremila scudi.

Ma anche stavolta la lepre scappò e tornò nel sacco. I

tre giorni e le tre notti erano finiti, e il più piccino tornò dal Re, che gli disse: — Ancora un'ultima prova, poi sposerai mia figlia. Devi riempire il sacco di verità.

Sulla porta c'era sempre il vicino, che gli disse: — Tu sai tutto quello che hai fatto nel bosco. Raccontalo e il sacco si riempirà.

Il più piccino tornò dal Re. Il Re teneva aperto il sacco e lui raccontò: — È venuta la zia e ha comperato una lepre per cento scudi ma le è scappata di mano ed è tornata nel sacco; è venuta sua figlia e ha comperato una lepre per trecento scudi ma le è scappata di mano ed è tornata nel sacco; è venuto lei, Maestà, e ha comperato una lepre per tremila scudi ma gli è scappata di mano ed è tornata nel sacco.

Erano tutte verità e il sacco s'era riempito.

Allora il Re capì che doveva dargli sua figlia.

(Romagna)

Un ragazzo guardava il gregge. Un agnello gli cascò in un botro e morì. Tornò a casa e i genitori che non gli volevano bene lo sgridarono e picchiarono; poi lo cacciarono di casa nella notte buia. Il ragazzo girò piangendo per la montagna, poi trovò un sasso cavo, ci buttò delle foglie secche e s'accoccolò alla peggio, rattrappito dal freddo. Ma a dormire non riusciva.

Nel buio, a quel sasso venne un uomo, e gli disse: — Tu hai preso il mio letto, temerario. Cosa fai qui a quest'ora?

Il ragazzo pieno di paura gli raccontò com'era stato cacciato da casa e lo supplicò di tenerlo lì per quella notte.

L'uomo disse: — Hai portato delle foglie secche, bravo! A me non m'era venuto mai in mente. Resta qui. — E si coricò al suo fianco.

Il ragazzotto si fece piccino piccino per non dargli noia e stette fermo senza muovere un dito fingendo di dormire, ma non chiudeva occhio per sorvegliare quell'uomo. L'uomo neanche lui dormiva, e borbottava tra sé, credendo che l'altro dormisse: — Cosa posso regalare a questo ragazzotto che m'ha riempito di foglie il sasso e che se ne sta così da parte per non darmi incomodo? Gli posso dare un tovagliolo di filo, che ogni volta che lo si spiega ci si trova un pranzo apparecchiato per quanti si è; gli posso dare una scatolina che ogni volta che s'apre c'è una moneta d'oro; gli posso dare un organino che ogni volta che lo si suona si mettono a ballare tutti quelli che lo sentono.

Il ragazzotto a questo borbottìo s'addormentò pian piano. Si svegliò all'alba e credeva d'aver sognato. Ma vicino a lui, sul giaciglio, c'era il tovagliolo, la scatolina e l'organetto. L'uomo non c'era più. E lui non l'aveva neanche visto in viso.

Cammina cammina arrivò in una città piena di popolo, dove si preparava una gran giostra. Il Re di quella città aveva messo in palio la mano di sua figlia, con tutto il tesoro dello Stato. Il ragazzotto si disse: "Ora posso far la prova della scatolina. Se mi dà i quattrini, mi metto anch'io in fila per la giostra." Cominciò ad aprirla e a chiuderla e ogni volta che l'apriva c'era dentro una moneta d'oro lustra lustra. Comprò cavalli, armature, abiti da principe, prese scudieri e servitori, e si fece credere il figlio del Re di Portogallo. Alla giostra vinse sempre e il Re fu tenuto a dichiararlo sposo di sua figlia.

Ma a Corte, quel ragazzotto allevato tra le pecore non faceva che parti da maleducato: mangiava con le mani, si puliva nelle tende, dava manate sulle spalle alle Marchese. E il Re s'insospettì. Mandò ambasciatori in Portogallo e seppe che il figlio del Re non s'era mai mosso dal palazzo essendo idropico. Allora comandò che il ragazzotto mentitore fosse imprigionato sull'istante.

La prigione della Reggia era proprio sotto la sala dei conviti. Appena il ragazzotto entrò, i diciannove carcerati che erano là dentro lo accolsero con un coro di beffe, perché sapevano che aveva preteso di diventare genero del Re. Ma lui li lasciava dire. A mezzogiorno il carceriere portò la solita pentola di fagioli ai carcerati. Il ragazzotto si butta di corsa sulla pentola, le dà un calcio e versa tutto in terra.

— Sei matto! E che cosa mangiamo ora? Questa ce la paghi!

Ma lui: — Zitti: state a vedere — si toglie di tasca il tovagliolo, dice: — Per venti — e lo spiega. Apparve un pranzo per venti, con le minestre, le pietanze e il buon vino. E tutti cominciarono a far festa al ragazzotto.

Il carceriere tutti i giorni trovava la pentola di fagioli rovesciata in terra e i carcerati più sazi e vispi che mai. E andò a dirlo al Re. Il Re, incuriosito, scende in prigione e domanda come va questa storia. Il ragazzotto fa un passo avanti: — Sappia, Maestà, che sono io che do da mangiare e bere ai miei compagni, meglio che alla tavola reale. Anzi, se accetta, la invito ora stesso e son sicuro che resterà contento.

— Accetto — disse il Re.

Il ragazzotto spiegò il tovagliolo e disse: — Per ventuno, e da Re. — Venne fuori un pranzo che non si era mai visto, e il Re tutto contento si sedette a mangiare in mezzo ai carcerati.

Finito il pranzo, il Re disse: — Me lo vendi, questo tovagliolo?

— Perché no, Maestà? — rispose lui. — Ma a patto che mi lasci dormire una notte con sua figlia, mia legittima fidanzata.

— Perché no, carcerato? — disse il Re. — Ma a patto che tu stia fermo e zitto sulla sponda del letto con le finestre aperte, un lume acceso, e con otto guardie in camera. Se ti garba, bene, se no niente.

— Perché no, Maestà? Affare fatto.

Così il Re ebbe il tovagliolo e il ragazzotto dormì una notte con la Principessa, ma senza poter parlare né toccarla. E la mattina fu riportato giù in prigione.

Quando lo videro tornare, i carcerati cominciarono a canzonarlo a gran voce: — O babbaleo! Guarda lì il mammalucco! Ora torniamo a mangiare fagioli tutti i giorni! Bel contratto hai saputo fare col Re!

E il ragazzotto, senza scomporsi: — E non possiamo comprarci da mangiare coi quattrini?

— E chi ce li ha?

— State bravi — fece lui, e cominciò a tirare fuori monete d'oro dalla borsa. Così facevano comprare dei gran pranzi all'osteria lì vicina e la pentola di fagioli la versavano sempre in terra.

Il carceriere andò di nuovo dal Re, e il Re scese. Seppe della scatolina e: — Vuoi vendermela?

— Perché no, Maestà? — e fece lo stesso patto di prima. Così gli diede la scatolina, dormì un'altra volta con la Principessa, senza poter toccarla né parlarle.

I carcerati, quando lo rividero, ripresero le beffe: — Be', adesso siamo di nuovo a fagioli, stiamo allegri!

— Certo, l'allegria non deve mancare. Se non mangiamo, balleremo.

— Cosa vuoi dire?

E il ragazzotto tirò fuori l'organino e prese a suonare. I carcerati cominciarono a ballare attorno a lui, con le loro catenacce ai piedi che facevano rumore di ferraglie. Minuetti, gavotte, valzer, non si fermavano più; accorse il carceriere e si mise a ballare anche lui, con tutte le chiavi che tintinnavano.

In quel mentre il Re coi suoi invitati s'erano appena seduti a banchetto. Sentirono la musica dell'organino venir su dalla prigione, saltarono tutti in piedi e cominciarono a ballare. Parevan tanti spiritati, non si capiva più niente, le dame ballavano coi camerieri e i cavalieri con le cuoche. Ballavano anche i mobili; le stoviglie e i cristalli andavano in frantumi; i polli arrosto volavan via; e chi dava testate nei muri, chi nei soffitti. Il Re sempre ballando, urlava ordini di non ballare. A un tratto il ragazzotto smise di suonare e tutti cascarono a terra di colpo, col capogiro e le gambe molli.

Il Re, trafelato, scese alla prigione. — Chi è questo spiritoso? — cominciò a dire.

— Sono io, Maestà — si fece avanti il ragazzotto. — Vuol vedere? — Diede una nota con l'organino e il Re già alzava una gamba in un passo di danza.

— Smetti, smetti! — disse, spaventato. E poi: — Me lo vendi?

— Perché no, Maestà? — rispose lui. — Ma a che patti?

— Quelli di prima.

— Eh Maestà, qui bisogna fare nuovi patti, o io ricomincio a suonare.

— No, no, dimmi i tuoi patti.

— A me basta che stanotte possa parlare alla Principessa e che lei mi risponda.

Il Re ci pensò su e finì per acconsentire. — Ma io ci metto doppie guardie e due lampadari accesi.

— Come vuole.

Allora il Re chiamò la figlia in segreto e le disse: — Bada bene, io ti comando che stanotte a tutte le domande di quel malandrino tu risponda sempre di no e nient'altro che no. — E la Principessa promise.

Venne sera, il ragazzotto andò nella stanza tutta illuminata e piena di guardie, si sdraiò sulla sponda del letto, ben discosto dalla Principessa. Poi disse: — Sposa mia, vi pare che con questo fresco dobbiamo tener aperte le finestre?

E la Principessa: — No.

— Guardie, avete sentito? — gridò il ragazzotto. — Per

ordine espresso della Principessa, che le finestre siano chiuse. — E le guardie ubbidirono.

Passa un quarto d'ora e il ragazzotto dice: — Sposa mia, vi pare proprio bene che stiamo a letto con tutte queste guardie intorno?

E la Principessa: — No.

Il ragazzotto grida: — Guardie! Avete sentito? Per ordine espresso della Principessa, andate via e non fatevi più vedere. — E le guardie se ne andarono a dormire, che non pareva loro vero.

Dopo un altro quarto d'ora: — Sposa mia, vi pare bene stare a letto con due lampadari accesi?

E la Principessa: —No.

Così lui spense i lampadari e fece buio fitto.

Tornò a rincantucciarsi lì sull'orlo, poi disse: — Cara, siamo sposi legittimi, e ciononostante stiamo lontano come avessimo in mezzo una siepe di pruni. Ti garba questo fatto?

E la Principessa: — No.

Allora lui la strinse tra le sue braccia e la baciò.

Quando venne giorno e il Re comparve nella camera della figlia, lei gli disse: — Io ho obbedito ai suoi ordini. Quel che è stato è stato. Questo giovane è mio legittimo marito. Ci perdoni.

Il Re, preso alle strette, ordinò grandi feste di nozze, balli e giostre. Il ragazzotto divenne genero del Re e poi Re lui stesso, e da pastore che era ebbe la sorte d'acculattarsi un trono reale per tutta la sua vita.

(Toscana)

L'ANELLO MAGICO

Un giovane povero disse alla sua mamma: — Mamma, io vado per il mondo; qui al paese tutti mi considerano meno d'una castagna secca, e non combinerò mai niente. Voglio andar fuori a far fortuna e allora anche per te, mamma, verranno giorni più felici.

Così disse, e andò via. Arrivò in una città e mentre passeggiava per le strade, vide una vecchietta che saliva per un vicolo in pendìo e ansimava sotto il peso di due grossi secchi pieni d'acqua che portava a bilancia appesi a un bastone. S'avvicinò e le disse: — Datemi da portare l'acqua, non ce la fate mica con quel peso. — Prese i secchi, l'accompagnò alla sua casetta, salì le scale e posò i secchi in cucina. Era una cucina piena di gatti e di cani che si affollavano intorno alla vecchietta, facendole le feste e le fusa.

— Cosa posso darti per ricompensa? — chiese la vecchietta.

— Roba da niente — disse lui. — L'ho fatto solo per farvi piacere.

— Aspetta — disse la vecchietta; uscì e tornò con un anello. Era un anellino da quattro soldi; glielo infilò al dito e gli disse: — Sappi che questo è un anello prezioso; ogni volta che lo giri e gli comandi quello che vuoi, quello che vuoi avverrà. Guarda solo di non perderlo, che sarebbe la tua rovina. E per esser più sicura che non lo perdi, ti do anche uno dei miei cani e uno dei miei gatti che ti seguano dappertutto. Sono bestie in gamba e se non oggi domani ti saranno utili.

Il giovane le fece tanti ringraziamenti e se ne andò, ma a tutte le cose che aveva detto la vecchia non ci badò né poco né tanto, perché non credeva nemmeno a una parola. "Discorsi da vecchia" si disse, e non pensò neanche a dare un giro all'anello, tanto per provare. Uscì dalla città e il cane e il gatto gli trotterellavano vicino; lui amava molto le bestie ed era contento d'averle con sé: giocava con loro e li faceva correre e saltare. Così correndo e saltando entrò in una foresta. Si fece notte e dovette trovare riposo sotto un albero; il cane e il gatto gli si coricarono vicino. Ma non riusciva a dormire perché gli era venuta una gran fame. Allora si ricordò dell'anello che aveva al dito. "A provare non si rischia niente" pensò; girò l'anello e disse: — Comando da mangiare e da bere!

Non aveva ancora finito di dirlo che gli fu davanti una tavola imbandita con ogni specie di cibi e di bevande e con tre sedie. Si sedette lui e s'annodò un tovagliolo al collo; sulle altre sedie fece sedere il cane e il gatto, annodò un tovagliolo al collo anche a loro, e si misero a mangiare tutti e tre con molto gusto. Adesso all'anellino ci credeva.

Finito di mangiare si sdraiò per terra e si mise a pensare a quante belle cose poteva fare, ormai. Non aveva che l'imbarazzo della scelta: un po' pensava che avrebbe desiderato mucchi d'oro e d'argento, un po' preferiva carrozze e cavalli, un po' terre e castelli, e così un desiderio cacciava via l'altro. "Qui ci divento matto" si disse alla fine, quando non ne poté più di fantasticare, "tante volte ho sentito dire che la gente perde la testa quando fa fortuna, ma io la mia testa voglio conservarmela. Quindi, per oggi basta; domani ci penserò." Si coricò su un fianco e si addormentò profondamente. Il cane si accucciò ai suoi piedi, il gatto alla sua testa, e lo vegliarono.

Quando si destò, il sole brillava già attraverso le cime verdi degli alberi, tirava un po' di vento, gli uccellini cantavano e a lui era passata ogni stanchezza. Pensò di comandare un cavallo all'anello, ma la foresta era così bella che preferì andare a piedi; pensò di comandare una colazione, ma c'erano delle fragole così buone sotto i cespugli che si contentò di quelle; pensò di comandare da bere, ma c'era una fonte così limpida che preferì bere nel cavo della mano. E così per prati e campi arrivò fino a un gran palazzo; alla finestra era affacciata una bellissima ragazza che a vedere quel giovane che se ne veniva allegro a mani in tasca seguito da un cane e da un gatto, gli fece un bel sorriso. Lui alzò gli occhi, e se l'anello l'aveva conservato, il cuore l'aveva bell'e perduto. "Ora sì che è il caso di usare l'anello" si disse. Lo girò e fece: — Comando che di fronte a quel palazzo sorga un altro palazzo ancora più bello, con tutto quel che ci vuole.

E in un batter d'occhio il palazzo era già lì, più grande e più bello dell'altro, e dentro ci stava già lui come ci avesse sempre abitato, e il cane era nella sua cuccia, e il gatto si leccava le zampine vicino al fuoco. Il giovane andò alla finestra, l'aperse ed era proprio dirimpetto alla finestra della bellissima ragazza. Si sorrisero, sospirarono, e il giovane capì che era venuto il momento d'andare a chiedere la sua mano. Lei era contenta, i genitori pure, e dopo pochi giorni avvennero le nozze.

La prima notte che stettero insieme, dopo i baci, gli abbracci e le carezze, lei saltò su a dire: — Ma di', come mai il tuo palazzo è venuto fuori tutt'a un tratto come un fungo?

Lui era incerto se dirglielo o non dirglielo; poi pensò: "È mia moglie e con la moglie non è il caso di avere segreti." E le raccontò la storia dell'anello. Poi tutti contenti s'addormentarono.

Ma mentre lui dormiva, la sposa piano piano gli tolse l'anello dal dito. Poi s'alzò, chiamò tutti i servitori, e: — Presto, uscite da questo palazzo e torniamo a casa dai miei genitori! — Quando fu tornata a casa girò l'anello e disse: — Comando che il palazzo del mio sposo sia messo sulla cima più alta e più scoscesa di quella montagna là! — Il palazzo scomparve come non fosse mai esistito. Lei guardò la montagna, ed era andato a finire in bilico lassù sulla cima.

Il giovane si svegliò al mattino, non trovò la sposa al suo fianco, andò ad aprire la finestra e vide il vuoto. Guardò meglio e vide profondi burroni in fondo in fondo, e intorno, montagne con la neve. Fece per toccare l'anello, e non c'era; chiamò i servitori, ma nessuno rispose. Accorsero invece il cane e il gatto che erano rimasti lì, perché lui alla sposa aveva detto dell'anello e non dei due animali. Dapprincipio non capiva niente, poi a poco a poco comprese che sua moglie era stata una infame traditrice, e com'era andata tutta quella storia; ma non era una gran consolazione. Andò a vedere se poteva scendere dalla montagna, ma le porte e le finestre davano tutte a picco sui burroni. I viveri nel palazzo bastavano solo per pochi giorni, e gli venne il terribile pensiero che avrebbe dovuto morire di fame.

Quando il cane e il gatto videro il loro padrone così triste, gli si avvicinarono, e il cane disse: — Non disperarti ancora, padrone: io e il gatto una via per scendere tra le rocce riusciremo pur a trovarla, e una volta giù ritroveremo l'anello.

— Mie care bestiole — disse il giovane — voi siete la mia unica speranza, altrimenti preferisco buttarmi giù per le rocce piuttosto che morir di fame.

Il cane e il gatto andarono, si arrampicarono, saltarono per balze e per picchi, e riuscirono a calar giù dalla montagna. Nella pianura c'era da attraversare un fiume; allora il cane prese il gatto sulla schiena e nuotò dall'altra parte. Arrivarono al palazzo della sposa traditrice che era già notte; tutti dormivano d'un sonno profondo. Entrarono pian pianino dalla gattaiola del portone; e il gatto disse al cane: — Ora tu resta qui a fare il palo; io vado su a vedere cosa si può fare.

Andò su quatto quatto per le scale fin davanti alla stanza dove dormiva la traditrice, ma la porta era chiusa e non poteva entrare. Mentre rifletteva a quel che avrebbe potuto fare, passò un topo. Il gatto lo acchiappò. Era un topone grande e grosso, che cominciò a supplicare il gatto di lasciarlo in vita. — Lo farò — disse il gatto — ma tu devi rodere questa porta in modo che io possa entrarci.

Il topo cominciò subito a rosicchiare; rosicchia, rosicchia, gli si consumarono i denti ma il buco era ancora così piccolo che non solo il gatto ma nemmeno lui topo ci poteva passare.

Allora il gatto disse: — Hai dei piccoli?

— E come no? Ne ho sette o otto, uno più vispo dell'altro.

— Va' a prenderne uno in fretta — disse il gatto — e se non torni ti raggiungerò dove sei e ti mangerò.

Il topo corse via e tornò dopo poco con un topolino. — Senti, piccolo — disse il gatto — se sei furbo salvi la vita a tuo padre. Entra nella stanza di questa donna, sali sul letto, e sfilale l'anello che porta al dito.

Il topolino corse dentro, ma dopo poco era già di ritorno, tutto mortificato. — Non ha anelli al dito — disse.

Il gatto non si perse d'animo. — Vuol dire che lo avrà

in bocca — disse; — entra di nuovo, sbattile la coda sul naso, lei starnuterà e starnutando aprirà la bocca, l'anello salterà fuori, tu prendilo svelto e portalo subito qui.

Tutto avvenne proprio come il gatto aveva detto; dopo poco il topolino arrivò con l'anello. Il gatto prese l'anello e a grandi salti corse giù per la scala.

— Hai l'anello? — chiese il cane.

— Certo che ce l'ho — disse il gatto. Saltarono fuori dal portone e corsero via; ma in cuor suo, il cane si rodeva dalla gelosia, perché era stato il gatto a riprendere l'anello.

Arrivarono al fiume. Il cane disse: — Se mi dai l'anello, ti porto dall'altra parte. — Ma il gatto non voleva e si misero a bisticciare. Mentre bisticciavano il gatto si lasciò sfuggire l'anello. L'anello cascò in acqua; in acqua c'era un pesce che l'inghiottì. Il cane subito afferrò il pesce tra i denti e così l'anello l'ebbe lui. Portò il gatto all'altra riva, ma non fecero la pace, e continuando a bisticciare giunsero dal padrone.

— L'avete l'anello? — chiese lui tutto ansioso. Il cane sputò il pesce, il pesce sputò l'anello, ma il gatto disse: — Non è vero che ve lo porta lui, sono io che ho preso l'anello e il cane me l'ha rubato.

E il cane: — Ma se io non pigliavo il pesce, l'anello era perduto.

Allora il giovane si mise a carezzarli tutti e due e disse: — Miei cari, non bisticciate tanto, mi siete cari e preziosi tutti e due. — E per mezz'ora con una mano accarezzò il cane e con l'altra il gatto, finché i due animali non tornarono amici come prima.

Andò con loro nel palazzo; girò l'anello sul dito e disse: — Comando che il mio palazzo stia laggiù dove è quello della mia sposa traditrice, e che la mia sposa traditrice e tutto il suo palazzo vengano quassù dove io sono ora. — E i due palazzi volarono per l'aria e cambiarono di posto: il suo giù nel bel mezzo della pianura e quello di lei su quella cima aguzza con lei dentro che gridava come un'aquila.

Il giovane fece venire anche sua madre e le diede la vecchiaia felice che le aveva promesso. Il cane e il gatto restarono con lui, sempre con qualche litigio tra loro, ma in complesso stettero in pace. E l'anello? L'anello lo usò, qualche volta, ma non troppo, perché pensava con ragione: "Non è bene che l'uomo abbia troppo facilmente tutto quello che può desiderare."

Sua moglie, quando scalarono la montagna la trovarono morta di fame, secca come un chiodo. Fu una fine crudele, ma non ne meritava una migliore.

(Trentino)

Il regalo
del Vento Tramontano

Un contadino di nome Geppone doveva coltivare un podere d'un padrone molto avaro, su per un colle dove il Vento Tramontano distruggeva sempre frutti e piante. E il povero Geppone pativa la fame con tutta la famiglia. Un giorno si decide: — Voglio andare a cercare questo vento che mi perseguita. — Salutò moglie e figlioli e andò per le montagne.

Arrivato a Castel Ginevrino, picchiò alla porta. S'affacciò la moglie del Vento Tramontano. — Chi picchia?

— Son Geppone. Non c'è vostro marito?

— È andato a soffiare un po' tra i faggi e torna subito. Entrate ad aspettarlo in casa — e Geppone entrò nel castello.

Dopo un'ora rincasò il Vento Tramontano. — Buon giorno, Vento.

— Chi sei?

— Sono Geppone.

— Cosa cerchi?

— Tutti gli anni mi porti via i raccolti, lo sai bene, e per colpa tua muoio di fame con tutta la famiglia.

— E perché sei venuto da me?

— Per chiederti, visto che m'hai fatto tanto male, che tu rimedi in qualche modo.

— E come posso?

— Son nelle tue mani.

Il Vento Tramontano fu preso dalla carità del cuore per Geppone, e disse: — Piglia questa scatola, e quando avrai fame aprila, comanda quel che vuoi e sarai obbedito. Ma non darla a nessuno, che se la perdi non avrai più niente.

Geppone ringraziò e partì. A metà strada, nel bosco, gli venne fame e sete. Aperse la scatola, disse: — Porta pane, vino e companatico — e la scatola gli buttò fuori un bel pane, una bottiglia e un prosciutto. Geppone fece una bella mangiata e bevuta lì nel bosco e ripartì.

Prima di casa trovò moglie e figlioli che gli erano venuti incontro: — Com'è andata? Com'è andata?

— Bene, bene — fece lui, e li ricondusse tutti a casa; — mettetevi a tavola. — Poi disse alla scatola: — Pane, vino e companatico per tutti — e così fecero un bel pranzo tutti insieme. Finito di mangiare e bere, Geppone disse alla moglie: — Non lo dire al padrone che ho portato questa scatola. Se no gli prende voglia d'averla e me la soffia.

— Io, dir qualcosa? Dio me ne liberi!

Ecco che il padrone manda a chiamare la moglie di Geppone. — È tornato, tuo marito? Ah sì, e com'è andata? Bene, son contento. E che ha portato di bello? — E così, una parola dopo l'altra, gli cava fuori tutto il segreto.

Subito chiamò Geppone: — O Geppone, so che hai una scatola molto preziosa. Me la fai vedere? — Geppone voleva negare, ma ormai sua moglie aveva detto tutto, così mostrò la scatola e le sue virtù al padrone.

— Geppone — disse lui — questa la devi dare a me.

— E io con cosa resto? — disse Geppone. — Lei sa che ho perso tutti i raccolti, e non ho di che mangiare.

— Se mi dai cotesta scatola, ti darò tutto il grano che vuoi, tutto il vino che vuoi, tutto quel che vuoi quanto ne vuoi.

Geppone, poveretto, acconsentì; e cosa gliene venne? Il padrone, grazie se gli diede qualche sacco di sementi grame. Era di nuovo allo stento e questo, bisogna dirlo, per colpa di sua moglie. — È per causa tua che ho perso la scatola — le diceva — e dire che il Vento Tramontano me l'aveva raccomandato, di non dirlo a nessuno. Ora, di ripresentarmi a lui non ho più il coraggio.

Finalmente si fece animo, e partì per il castello. Bussò, s'affacciò la moglie del Vento. — Chi è?

— Geppone.

S'affacciò anche il Vento: — Cosa vuoi, Geppone?

— Ti ricordi la scatola che mi avevi dato? Me l'ha presa il padrone e non me la vuol rendere e a me tocca sempre patire fame e stento.

— Te l'avevo detto di non darla a nessuno. Ora va' in pace, perché io non ti do più niente.

— Per carità, solo tu puoi rimediarmi questa disgrazia.

Il Vento fu preso per la seconda volta dalla carità del cuore: tira fuori una scatola d'oro e gliela dà. — Questa non aprirla se non quando avrai una gran fame. Se no, non ti ubbidisce.

Geppone ringraziò, prese la scatola e via per quelle valli. Quando non ne poté più dalla fame, aperse la scatola e disse: — Provvedi.

Dalla scatola salta fuori un omaccione con un bastone in mano e comincia a menare bastonate al povero Geppone, fino a spaccargli le ossa.

Appena poté, Geppone richiuse la scatola e continuò la sua strada tutto pesto e acciaccato. Alla moglie e ai fi-

gli che gli erano venuti incontro per la strada a chiedergli com'era andata, disse: — Bene: ho portato una scatola più bella dell'altra volta. — Li fece mettere a tavola e
aperse la scatola d'oro. Stavolta vennero fuori non uno
ma due omaccioni col bastone, e giù legnate. La moglie e
i figli gridavano misericordia, ma gli omaccioni non smi-
sero finché Geppone non richiuse la scatola.

— Adesso va' dal padrone — disse alla moglie — e digli che ho portato una scatola assai più bella di quell'altra.

La moglie andò e il padrone le fece le solite domande:
— Che è tornato, Geppone? E cos'ha portato?

E lei: — Si figuri, sor padrone, una scatola meglio dell'altra: tutta d'oro, e ci fa dei desinari già cucinati che sono
una meraviglia. Ma questa non vuol darla a nessuno.

Il padrone fece chiamare subito Geppone. — Oh, mi rallegro, Geppone, mi rallegro che sei tornato, e della nuova
scatola. Fammela vedere.

— Sì, e poi voi mi pigliate anche questa.

— No, non te la piglio.

E Geppone gli mostrò la scatola tutta luccicante. Il padrone non stava più in sé dalla voglia. — Geppone, dàlla
a me, e io ti rendo l'altra. Che vuoi fartene tu d'una scatola d'oro? Ti do in cambio l'altra e poi qualcosa di giunta.

— Be', andiamo: mi renda l'altra e le do questa.

— Affare fatto.

— Badi bene, sor padrone, questa non si deve aprire se
non s'ha una gran fame.

— Mi va giusto bene — disse il padrone. — Domani mi
vengono a trovare i miei amici per andare insieme a caccia. Li faccio star digiuni fino a mezzogiorno, poi apro la
scatola e gli presento un gran desinare.

Difatti l'indomani tutti quei signori andarono insieme
a caccia la mattina, ma verso mezzogiorno tornarono e cominciarono a girare intorno alla cucina del padron di ca-

sa. — Stamane non vuol darci da mangiare — dicevano — qui il fuoco è spento, e non si vedono provviste.

Ma quelli più al corrente dicevano: — Vedrete, all'ora di desinare, apre una scatola e fa venire tutto quel che vuole.

Venne il padrone e li fece sedere per bene a tavola; e in mezzo c'era la scatola, e tutti la guardavano con tanto d'occhi. Il padrone aperse la scatola e saltarono fuori sei omaccioni armati di bastone, e giù botte da orbi su quanti invitati erano lì intorno. Al padrone, sotto quella gragnuola, cadde la scatola di mano e restò aperta, e i sei continuarono a picchiare. Geppone che s'era nascosto lì vicino accorse e chiuse la scatola: se no tutti quei signori restavano morti dalle bastonate. Questo fu il loro desinare. Geppone si tenne le due scatole, non le prestò più a nessuno, e fu sempre un signore anche lui.

(Toscana)

FIABE DI FANCIULLE FATATE

PREZZEMOLINA

C'era una volta marito e moglie che stavano in una bella casina. E questa casina aveva una finestra che dava sull'orto delle Fate.

La donna aspettava un bambino, e aveva voglia di prezzemolo. S'affaccia alla finestra e nell'orto delle Fate vede tutto un prato di prezzemolo. Aspetta che le Fate siano uscite, prende una scala di seta e cala nell'orto. Fatta una bella scorpacciata di prezzemolo, risale per la scala di seta e chiude la finestra.

L'indomani, lo stesso. Mangia oggi, mangia domani, le Fate, passeggiando nel giardino, cominciarono ad accorgersi che il prezzemolo era quasi tutto andato.

— Sapete cosa facciamo? — disse una delle Fate. — Fingiamo d'esser uscite tutte, e una di noi invece resterà nascosta. Così vedremo chi viene a rubare il prezzemolo.

Quando la donna scese nell'orto, ecco che saltò fuori una Fata. — Ah, briccona! T'ho scoperta, finalmente!

— Abbiate pazienza — disse la donna — ho voglia di prezzemolo perché aspetto un bambino...

— Ti perdoniamo — disse la Fata. — Però se avrai un bambino gli metterai nome Prezzemolino, se avrai una bambina le metterai nome Prezzemolina. E appena sarà grande, bambino o bambina che sia, lo prenderemo con noi!

La donna scoppiò a piangere e tornò a casa. Il marito, appena seppe del patto con le Fate andò su tutte le furie: — Golosaccia! Hai visto?

Nacque una bambina, Prezzemolina. E col tempo, i genitori non pensarono più al patto con le Fate.

Quando Prezzemolina fu grandetta, cominciò ad andare a scuola. E mentre tornava a casa, tutti i giorni, incontrava le Fate, che le dicevano: — Bambina, di' alla mamma che si ricordi quel che ci deve dare.

— Mamma — diceva Prezzemolina, tornando a casa — le Fate dicono che dovete ricordarvi quel che gli dovete dare. — La mamma si sentiva un groppo al cuore e non rispondeva niente.

Un giorno la mamma era distratta. Tornò Prezzemolina da scuola e disse: — Dicono le Fate che vi ricordiate quel che gli dovete dare — e la mamma, senza pensare, disse: — Sì, di' che la piglino pure.

L'indomani la bambina andò a scuola. — Allora, se ne ricorda, tua mamma? — chiesero le Fate.

— Sì, dice che potete prendere quella cosa che vi deve dare.

Le Fate non se lo fecero dire due volte. Afferrarono Prezzemolina e via.

La mamma, non vedendola tornare, era sempre più in pensiero. A un tratto si ricordò della frase che le aveva detto, e disse: — O me disgraziata! Ora non si può più tornare indietro!

Le Fate portarono Prezzemolina a casa loro, le mostrarono una stanza nera nera dove tenevano il carbone, e dissero: — Vedi, Prezzemolina, questa stanza? Quando torniamo stasera dev'essere bianca come il latte e dipinta con tutti gli uccelli dell'aria. Se no ti mangiamo. — Se ne andarono e lasciarono Prezzemolina disperata, tutta in lacrime.

Bussano alla porta. Prezzemolina va ad aprire, sicura che siano già le Fate di ritorno e che sia giunta la sua ora. Invece entrò Memé, cugino delle Fate. — Che hai che piangi, Prezzemolina? — chiese.

— Piangereste anche voi — disse Prezzemolina — se aveste questa stanza nera nera da far bianca come il latte e dipingerla con tutti gli uccelli dell'aria, prima che tornino le Fate! E se no mi mangiano!

— Se mi dai un bacio — disse Memé — faccio tutto io. E Prezzemolina rispose:

Preferisco dalle Fate esser mangiata
Piuttosto che da un uomo esser baciata.

— La risposta, è così graziosa — disse Memé — che farò tutto io lo stesso.

Batté la bacchetta magica, e la stanza divenne tutta bianca e tutta uccelli, come avevano detto le Fate.

Memé andò via e le Fate tornarono. — Allora, Prezzemolina, l'hai fatto?

— Sissignora, vengano a vedere.

Le Fate si guardarono tra loro. — Di' la verità, Prezzemolina, qui c'è stato nostro cugino Memé.

E Prezzemolina:

Non ho visto il cugino Memé
Né la mia mamma bella che mi fé.

L'indomani le Fate tennero conciliabolo. — Come facciamo a mangiarcela? Mah! Prezzemolina!

— Cosa comandano?

— Domattina devi andare dalla Fata Morgana e le devi dire che ti dia la scatola del Bel-Giullare.

— Sissignora — rispose Prezzemolina, e la mattina si mise in viaggio. Cammina cammina, trovò Memé cugino delle Fate che le chiese: — Dove vai?

— Dalla Fata Morgana, a prendere la scatola del Bel-Giullare.

— Ma non sai che ti mangia?

— Meglio per me, così sarà finita.

— Tieni — disse Memé — queste due pentole di lardo; troverai una porta che batte i battenti, ungila e ti lascerà passare. Poi tieni questi due pani; troverai due cani che si mordono l'uno con l'altro; buttagli i pani e ti lasceranno passare. Poi tieni questo spago e questa lesina; troverai un ciabattino che per cucire le scarpe si strappa la barba e i capelli; daglieli e ti lascerà passare. Poi tieni queste scope; troverai una fornaia che spazza il forno con le mani, dagliele e ti lascerà passare. Bada solo di far svelta.

Prezzemolina prese lardo, pani, spago, scope e li diede alla porta, ai cani, al ciabattino, alla fornaia; e tutti la ringraziarono. Trovò una piazza, e nella piazza c'era il palazzo della Fata Morgana. Prezzemolina bussò.

— Aspetta, bambina — disse la Fata Morgana — aspetta un poco. — Ma Prezzemolina che sapeva che doveva far svelta, corse su per due rampe di scale, vide la scatola del Bel-Giullare, la prese, e via di corsa.

La Fata Morgana, sentendola scappare, s'affacciò alla finestra. — Fornaia che spazzi il forno con le mani, ferma quella bambina, fermala!

— Fossi matta! Dopo tanti anni che fatico, mi ha dato le scope per spazzare il forno!

— Ciabattino che cuci le scarpe con la barba e i capelli! Ferma quella bambina, fermala!

— Fossi matto! Dopo tanti anni che fatico, m'ha dato lesina e spago!

— Cani che vi mordete! Fermate quella bambina!

— Fossimo matti! Ci ha dato un pane per uno!

— Porta che sbatti! Ferma quella bambina!

— Fossi matta! M'ha unta da capo a piedi!

E Prezzemolina passò. Appena fu in salvo, si domandò: "Cosa ci sarà in questa scatola del Bel-Giullare?" e non seppe resistere alla tentazione d'aprirla.

Ne saltò fuori tutto un corteo d'omini piccini piccini, un corteo con la banda, che andava avanti a suon di musica e non si fermava più. Prezzemolina voleva farli tornare nella scatola, ma ne prendeva uno e gliene scappavano dieci. Scoppiò in singhiozzi, e proprio in quel momento arrivò Memé.

— Curiosaccia! — disse. — Vedi quel che hai combinato?

— Oh, volevo solo vedere…

— Adesso non c'è più rimedio. Ma se tu mi dai un bacio, io rimedierò. E lei:

Preferisco dalle Fate esser mangiata
Piuttosto che da un uomo esser baciata.

— L'hai detto così per benino che rimedierò io lo stesso. — Batté la bacchetta magica e tutti gli omini tornarono nella scatola del Bel-Giullare.

Le Fate, quando sentirono Prezzemolina picchiare all'uscio, ci restarono male. — Come mai la Fata Morgana non se l'è mangiata?

— Felice giorno — disse lei. — Ecco la scatola.

— Ah, brava… E cosa t'ha detto la Fata Morgana?

— M'ha detto di farvi tanti saluti.

— Abbiamo capito! — dissero le Fate tra loro. — Dobbiamo mangiarcela noi. — Alla sera, venne a trovarle Memé. — Sai, Memé? — gli dissero. — La Fata Morgana non s'è mangiata Prezzemolina. Dobbiamo mangiarcela noi.

— Oh, bene! — fece Memé. — Oh, bene!

— Domani, quando avrà fatto tutte le faccende di casa, le faremo mettere al fuoco una caldaia di quelle grandi da bucato. E quando bollirà la prenderemo e la butteremo dentro.

— E sì, e sì — disse lui — resta inteso così, è una buona idea.

Quando le Fate furono uscite, Memé andò da Prezzemolina. — Sai, Prezzemolina? Ti vogliono buttare nella caldaia, quando bolle. Ma tu devi dire che manca la legna e che vai in cantina a prenderla. Poi verrò io.

Così le Fate dissero a Prezzemolina che bisognava fare il bucato, e che mettesse la caldaia al fuoco. Lei accese il fuoco, poi disse: — Ma non c'è quasi più legna.

— Va' a prenderla in cantina.

Prezzemolina scese, e sentì: — Sono qua io, Prezzemolina. — C'era Memé che la prese per mano.

La condusse in un posto in fondo alla cantina dove c'erano tanti lumi. — Queste sono le anime delle Fate. Soffia! Si misero a soffiare e ogni lume che si spegneva era una Fata che moriva.

Rimase solo un lume, il più grosso di tutti. — Questa è l'anima della Fata Morgana! — Si misero a soffiare insieme con tutte le loro forze, finché non lo spensero, e così rimasero padroni d'ogni cosa.

— Ora sarai mia sposa — disse Memé e finalmente Prezzemolina gli diede un bacio.

Andarono al palazzo della Fata Morgana; del ciabattino ne fecero un duca, della fornaia una marchesa; i ca-

ni li tennero con loro al palazzo e la porta la lasciarono lì badando a ungerla ogni tanto.

Così vissero e godettero,
Sempre in pace se ne stettero
Ed a me nulla mi dettero.

(Firenze)

Gràttula-Beddàttula

Una volta c'era un mercante con tre figlie grandicelle: la prima Rosa, la seconda Giovannina, e la terza Ninetta, la più bella delle tre.

Un giorno al mercante capitò un gran commercio e tornò a casa in pensieri. — Che avete, papà? — chiesero le ragazze.

— Niente, figlie mie: mi capita una gran mercanzia, e non posso andarci per non lasciarvi sole.

— E vossignoria si confonde? — gli disse la grande. — Vossignoria faccia la provvista per tutto il tempo che avrà a stare lontano, faccia murare le porte con noi dentro e ci vedremo quando piace a Dio.

Così fece il mercante: comprò provviste di cose da mangiare in quantità, e diede ordine a uno dei suoi servi che ogni mattina chiamasse dalla strada la figlia più grande e le facesse le commissioni. Salutandole chiese: — Rosa, cosa vuoi che ti porti?

E lei: — Un vestito color del cielo.

— E tu, Giovannina?

— Un vestito color dei diamanti.

— E tu, Ninetta?

— Io voglio che vossignoria mi porti un bel ramo di datteri in un vaso d'argento. E se non me lo porta, che il bastimento non possa più andare né avanti né indietro.

— Ah, sciagurata — le dissero le sorelle — ma non sai che puoi mandare a tuo padre un incantesimo?

— Ma no — disse il mercante — non ve la prendete con lei, che è piccola e si deve lasciar dire.

Il mercante partì e sbarcò al posto propizio. Fece quel gran negozio, e poi pensò a comprare il vestito per Rosa e il vestito per Giovanna, ma del ramo di datteri per Ninetta si dimenticò. Quando s'imbarca e si trova in mezzo al mare, gli arriva una terribile tempesta: saette, lampi, tuoni, acqua, marosi, e il bastimento non poteva andare più avanti né indietro.

Il capitano si disperava. — Ma da dov'è uscito questo temporale? — Allora il mercante che s'era ricordato l'incantesimo della figlia disse: — Capitano, mi son dimenticato di fare una commissione. Se vogliamo salvarci, voltiamo il timone.

Che è che non è, appena voltarono il timone il tempo cambiò, e col vento in poppa tornarono al porto. Il mercante scese, comprò il ramo di datteri, lo piantò in un vaso d'argento e tornò a bordo. I marinai alzan le vele, e in tre giorni di viaggio tranquillo il bastimento arrivò a destinazione.

Intanto, mentre il mercante era via, le tre ragazze stavano nella casa dalle porte murate. Non mancava loro niente, avevano anche un pozzo dentro il cortile cosicché potevan sempre prendere l'acqua. Accadde che un giorno, alla più grande delle sorelle cadde il ditale nel pozzo. E Ninetta disse: — Non vi angustiate, sorelle: calatemi nel pozzo e vi ripiglio il ditale.

— Scendere nel pozzo: scherzi? — le disse la più grande.

— Sì, voglio scendere a pigliarlo — e le sorelle la calarono.

Il ditale galleggiava sul pel dell'acqua e Ninetta lo prese, ma rialzando il capo, vide un pertugio nella parete del pozzo, donde veniva luce. Tolse un mattone e vide di là un bel giardino, con ogni sorta di fiori, alberi e frutti. Si aperse un varco spostando i mattoni e s'infilò dentro il giardino, e là i meglio fiori e i meglio frutti erano tutti per lei. Se ne riempì il grembiule, rifece capolino in fondo al pozzo, rimise a posto i mattoni, gridò alle sorelle: — Tiratemi! — E se ne tornò su fresca come una rosa.

Le sorelle la videro uscir dalla bocca del pozzo col grembiule pieno di gelsomini e di ciliegie. — Dove hai preso tante belle cose?

— Che ve ne importa? Domani mi calate di nuovo e prendiamo il resto.

Quel giardino era il giardino del Reuzzo del Portogallo. Quando vide saccheggiate le sue aiole, il Reuzzo cominciò a far lampi e saette contro il povero giardiniere.

— Non so niente, come può essere? — badava a dire il giardiniere, ma il Reuzzo gli ordinò di stare più in guardia d'ora in poi, sennò guai per lui.

L'indomani Ninetta era già pronta per scendere nel giardino. Disse alle sorelle: — Ragazze, calatemi!

— Ma hai le traveggole, o hai bevuto?

— Non sono né pazza né ubriaca: calatemi. — E la dovettero calare.

Spostò i mattoni e scese nel giardino: fiori, frutti, una bella grembiulata e poi: — Tiratemi su! — Ma, mentre se ne andava, il Reuzzo s'era affacciato alla finestra e la vide saltar via come un leprotto; corse in giardino ma era già scappata. Chiamò il giardiniere: — Quella ragazza, per dov'è passata?

— Che ragazza, Maestà?

— Quella che coglie i fiori e i frutti nel mio giardino.

— Io non ho visto niente, Maestà, glielo giuro.

— Bene, domani, mi metterò alla posta io.

Difatti, l'indomani, nascosto dietro una siepe, vide la ragazza far capolino tra i mattoni, entrare, riempirsi il grembiule di fiori e frutti fino al petto. Salta fuori e fa per afferrarla, ma lei, svelta come un gatto, salta nel buco del muro, lo chiude con i mattoni ed è sparita. Il Reuzzo guarda il muro da tutte le parti ma non riesce a trovare un punto coi mattoni che si muovono. Aspetta l'indomani, aspetta un altro giorno, ma Ninetta, spaventata d'esser stata scoperta, non si fece calare più nel pozzo. Al Reuzzo quella ragazza era parsa bella come una fata: non ebbe più pace, cadde ammalato e nessuno dei medici del Regno ci capiva niente. Il Re fece un consulto con tutti i medici, i sapienti e i filosofi. Parla questo e parla quello, all'ultimo fu data la parola a un Barbasavio.

— Maestà — disse il Barbasavio — chiedete a vostro figlio se ha una qualche simpatia per una giovane. Perché allora tutto si spiega.

Il Re fa chiamare il figlio e gli domanda: il figlio gli racconta tutto: che se non si sposa questa ragazza non può trovare pace. Dice il Barbasavio: — Maestà, fate tre giorni di feste a palazzo, e fate gridare un bando che tutti i padri e le madri d'ogni condizione vi portino le figlie, pena la vita. — Il Re approvò e proclamò il bando.

Intanto, il mercante era tornato dal viaggio, aveva fatto smurare le porte, e aveva dato i vestiti a Rosa e a Giovanna, e a Ninetta il ramo di datteri nel vaso d'argento. Rosa e Giovanna non vedevano l'ora che ci fosse un ballo e si misero a cucire i loro vestiti. Ninetta invece se ne stava chiusa col suo ramo di datteri e non pensava a feste né a balli. Il padre e le sorelle dicevano che era matta.

Quando fu gridato il bando, il mercante va a casa e lo dice alle figlie. — Che bello! Che bello! — dissero Rosa e Giovanna; ma Ninetta alzò le spalle e disse: — Andateci voialtri, che io non ne ho voglia.

— Eh no, figlia mia — disse il padre — c'è la pena di morte e con la morte non si scherza.

— E io che c'entro? Chi volete che sappia che avete tre figlie? Fate conto d'averne due.

E — Sì che devi venire! — e — No che non ci vengo — la sera della prima festa da ballo Ninetta restò a casa.

Appena le sorelle se ne furono uscite, Ninetta si rivolse al suo ramo di datteri e gli disse:

Gràttula-Beddàttula,
Sali su e vesti Nina
Falla più bella di com'era prima.

A quelle parole, dal ramo di datteri uscì una fata, poi un'altra fata, e tante tante fate ancora. E tutte portavano vesti e gioielli senza uguale. Si misero intorno a Nina e chi la lavava, chi la strecciava, chi la vestiva: in un momento l'ebbero vestita di tutto punto, con le sue collane, i suoi brillanti e le sue pietre preziose. Quando fu un pezzo d'oro dalla testa ai piedi, si mise in carrozza, andò al palazzo, salì le scale, e fece restar tutti a bocca aperta.

Il Reuzzo la vide e la riconobbe; corse subito dal Re a dirglielo. Poi venne da lei, le fece la riverenza, le chiese: — Come state, madamigella?

— Come estate così inverno.

— Come vi chiamate?

— Col mio nome.

— E dove state?

— Nella casa con la porta.

— In che strada?

— Nel vicoletto del polverone.

— Madamigella, voi mi fate morire!

— Fate pure!

E così gentilmente conversando ballarono tutta la sera, fino a lasciare il Reuzzo senza fiato, mentre lei era sempre fresca come una rosa. Finito il ballo, il Re, preoccupato per il figlio, senza farsi accorgere diede ordine ai suoi servitori che andassero dietro alla madamigella per vedere dove stava. Lei salì in carrozza, ma, quando s'accorse d'esser seguita, si sciolse le trecce e caddero sul selciato perle e pietre preziose.

I servitori, come galline sul becchime, si buttarono sulle perle e, addio madamigella! Fece frustare i cavalli e sparì.

Arrivò a casa prima delle sorelle; disse:

Gràttula-Beddàttula,
Scendi giù e spoglia Nina
Falla tal quale com'era prima.

E si trovò spogliata e vestita con la solita roba da casa.

Tornarono le sorelle: — Ninetta, Ninetta, sapessi che bella festa. C'era una bella madamigella che un po' t'assomigliava. Se non avessimo saputo che eri qua, l'avremmo scambiata per te…

— Sì, io ero qui con i miei datteri…

— Ma domani sera devi venire, sai…

Intanto i servi del Re tornarono a palazzo a mani vuote. E il Re: — Anime infide! Per un po' di quattrini tradite gli ordini! Se domani sera non la seguite fino a casa, guai a voi.

Neanche la sera dopo, Ninetta volle andar al ballo con le sorelle. — Questa diventa matta col suo ramo di datteri! Andiamo! — e se ne andarono. Ninetta si volse subito al ramo:

Gràttula-Beddàttula,
Sali su e vesti Nina
Falla più bella di com'era prima.

E le fate la strecciarono, la vestirono con abiti di gala, la coprirono di gioie.

A palazzo tutti a guardarla con tanto d'occhi, specialmente le sorelle e il padre. Il Reuzzo le fu subito vicino.

— Madamigella, come state?

— Come estate, così inverno.

— Come vi chiamate?

— Col mio nome — e così via.

Il Reuzzo non se la prendeva, e la invitò a ballare. Ballarono tutta la sera.

— Madonna mia! — diceva una sorella all'altra — quella signora è Ninetta sputata!

Mentre il Reuzzo l'accompagnava alla carrozza, il Re fece segno ai servi. Quando si vide seguita, Ninetta tirò una manciata di monete d'oro: ma stavolta tirò in faccia ai servitori, e a chi ammaccò il naso, a chi tappò un occhio, così fece perdere le tracce della carrozza e li fece tornare a palazzo come cani bastonati, tanto che anche il Re n'ebbe pietà. Ma disse: — Domani sera è l'ultimo ballo: in un modo o nell'altro bisogna saper qualcosa.

Intanto Ninetta diceva al suo ramo:

Gràttula-Beddàttula,
Scendi giù e spoglia Nina
Falla tal quale com'era prima.

In un batter d'occhio era cambiata e le sorelle arrivando le dissero ancora di come le assomigliava quella madamigella così ben vestita e ingioiellata.

La terza sera, tutto come prima. Nina andò a palazzo

così bella e splendente come non era mai stata. Il Reuzzo ballò con lei ancora più a lungo, e si squagliava d'amore come una candela.

A una cert'ora Ninetta voleva andarsene, quando viene chiamata al cospetto del Re. Tutta tremante, va e gli fa l'inchino.

— Ragazza — dice il Re — m'hai preso in giro per due sere, alla terza non ci riuscirai.

— Ma cosa ho mai fatto, Maestà?

— Hai fatto che mio figlio si consuma per te. Non credere di sfuggire.

— E quale sentenza mi aspetta?

— La sentenza che diventerai la moglie del Reuzzo.

— Maestà, io non ho la mia libertà: ho padre e due sorelle maggiori.

— Sia chiamato il padre.

Il povero mercante, quando si sentì chiamare dal Re, pensò al proverbio: "Chiamata di Re, tanto buona non è", e gli venne la pelle d'oca perché aveva parecchi imbrogli sulla coscienza. Ma il Re gli fece grazia d'ogni sua mancanza e gli chiese la mano di Ninetta per suo figlio. L'indomani aprirono la cappella reale, per le nozze del Reuzzo e di Ninetta.

Loro restarono felici e contenti
E noi siam qui che ci freghiamo i denti.

(Palermo)

C'era una volta un Re e una Regina, disperati perché non avevano figlioli. E la Regina diceva: — Perché non posso fare figli, così come il melo fa le mele?

Ora successe che alla Regina invece di nascerle un figlio le nacque una mela. Era una mela così bella e colorata come non se n'erano mai viste. E il Re la mise in un vassoio d'oro sul suo terrazzo.

In faccia a questo Re ce ne stava un altro, e quest'altro Re, un giorno che stava affacciato alla finestra, vide sul terrazzo del Re di fronte una bella ragazza bianca e rossa come una mela che si lavava e pettinava al sole. Lui rimase a guardare a bocca aperta, perché mai aveva visto una ragazza così bella. Ma la ragazza appena s'accorse d'esser guardata, corse al vassoio, entrò nella mela e sparì. Il Re ne era rimasto innamorato.

Pensa e ripensa, va a bussare al palazzo di fronte, e chiede della Regina: — Maestà — le dice — avrei da chiederle un favore.

— Volentieri, Maestà; tra vicini se si può essere utili…
— dice la Regina.

— Vorrei quella bella mela che avete sul terrazzo.

— Ma che dite, Maestà? Ma non sapete che io sono la madre di quella mela, e che ho sospirato tanto perché mi nascesse?

Ma il Re tanto disse tanto insistette, che non gli si poté dir di no per mantenere l'amicizia tra vicini. Così lui si portò la mela in camera sua. Le preparava tutto per lavarsi e pettinarsi, e la ragazza ogni mattino usciva, e si lavava e pettinava e lui la stava a guardare. Altro non faceva, la ragazza: non mangiava, non parlava. Solo si lavava e pettinava e poi tornava nella mela.

Quel Re abitava con una matrigna, la quale, a vederlo sempre chiuso in camera, cominciò a insospettirsi: — Pagherei a sapere perché mio figlio se ne sta sempre nascosto!

Venne l'ordine di guerra e il Re dovette partire. Gli piangeva il cuore, di lasciare la sua mela! Chiamò il suo servitore più fedele e gli disse: — Ti lascio la chiave di camera mia. Bada che non entri nessuno. Prepara tutti i giorni l'acqua e il pettine alla ragazza della mela, e fa' che non le manchi niente. Guarda che poi lei mi racconta tutto. — (Non era vero, la ragazza non diceva una parola, ma lui al servitore disse così.) — Sta' attento che se le fosse torto un capello durante la mia assenza, ne va della tua testa.

— Non dubiti, Maestà, farò del mio meglio.

Appena il Re fu partito, la Regina matrigna si diede da fare per entrare nella sua stanza. Fece mettere dell'oppio nel vino del servitore e quando s'addormentò gli rubò la chiave. Apre, e fruga tutta la stanza, e più frugava meno trovava. C'era solo quella bella mela in una fruttiera d'oro.

— Non può essere altro che questa mela la sua fissazione!

Si sa che le Regine alla cintola portano sempre uno stiletto. Prese lo stiletto, e si mise a trafiggere la mela. Da ogni trafittura usciva un rivolo di sangue. La Regina matrigna si mise paura, scappò, e rimise la chiave in tasca al servitore addormentato.

Quando il servitore si svegliò, non si raccapezzava di cosa gli era successo. Corse nella camera del Re e la trovò allagata di sangue. — Povero me! Cosa devo fare? — e scappò.

Andò da sua zia, che era una Fata e aveva tutte le polverine magiche. La zia gli diede una polverina magica che andava bene per le mele incantate e un'altra che andava bene per le ragazze stregate e le mescolò insieme.

Il servitore tornò dalla mela e le posò un po' di polverina su tutte le trafitture. La mela si spaccò e ne uscì fuori la ragazza tutta bendata e incerottata.

Tornò il Re e la ragazza per la prima volta parlò e disse: — Senti, la tua matrigna m'ha preso a stilettate, ma il tuo servitore mi ha curata. Ho diciotto anni e sono uscita dall'incantesimo. Se mi vuoi sarò tua sposa.

E il Re: — Perbacco, se ti voglio!

Fu fatta la festa con gran gioia dei due palazzi vicini. Mancava solo la matrigna che scappò e nessuno ne seppe più niente.

E lì se ne stiedero, e se ne godiedero,
E a me nulla mi diedero.
No, mi diedero un centesimino
E lo misi in un buchino.

(Firenze)

A un Re e a una Regina, finalmente, dopo averlo tanto aspettato, stava per nascere un bambino. Chiamarono gli astrologhi per sapere se sarebbe nato un maschio o una femmina, e qual era il suo pianeta. Gli astrologhi guardarono le stelle e dissero che nascerebbe una bambina, e che era destinata a far innamorare di sé il Sole prima di compiere i vent'anni, e ad avere dal Sole una figlia. Il Re e la Regina, a sapere che la loro figlia avrebbe avuto una figlia dal Sole, che sta in cielo e non si può sposare, ci rimasero male. E per trovare un rimedio a quella sorte, fecero costruire una torre con finestre così alte che il Sole stesso non potesse arrivare fino in fondo. La bambina fu chiusa lì dentro con la balia, perché stesse fino ai vent'anni senza vedere il Sole né esser da lui vista.

La balia aveva una figlia della stessa età della figlia del Re, e le due bambine crebbero insieme nella torre. Avevano quasi vent'anni quando un giorno, parlando delle belle cose che dovevano esserci al mondo fuori da quella torre, la figlia della balia disse: — E se cercassimo d'arrampicarci alle finestre mettendo una sedia sopra l'altra? Vedremmo un po' cosa c'è fuori!

Detto fatto, fecero una catasta di sedie così alta che riuscirono ad arrivare alla finestra. S'affacciarono e videro gli alberi e il fiume e gli aironi in volo, e lassù le nuvole, e il Sole. Il Sole vide la figlia del Re, se n'innamorò e le mandò un suo raggio. Dal momento in cui quel raggio la toccò, la ragazza attese di dare alla luce la figlia del Sole.

La figlia del Sole nacque nella torre, e la balia, che temeva la collera del Re, la avvolse ben bene con fasce d'oro da regina, la portò in un campo di fave e ve l'abbandonò. Di lì a poco la figlia del Re compì i vent'anni, e il padre la fece uscire dalla torre, pensando che il pericolo fosse passato. E non sapeva che tutto era già successo, e la bambina del Sole e di sua figlia in quel momento stava piangendo, abbandonata in un campo di fave.

Da quel campo passò un altro Re che andava a caccia: sentì i vagiti, e s'impietosì di quella bella creaturina lasciata tra le fave. La prese con sé e la portò da sua moglie. Le trovarono una balia e la bambina fu allevata a palazzo come fosse figlia di quel Re e di quella Regina, insieme al loro figlio, più grandetto di lei ma di poco.

Il ragazzo e la ragazza crebbero insieme e, divenuti grandi, finirono per innamorarsi. Il figlio del Re voleva a tutti i costi averla in sposa, ma il Re non voleva che suo figlio sposasse una ragazza abbandonata e la fece andar via da palazzo confinandola in una casa lontana e solitaria, con la speranza che suo figlio la scordasse. Non s'immaginava nemmeno che quella ragazza era la figlia del Sole, ed era fatata e sapeva tutte le arti che gli uomini non sanno.

Appena la ragazza fu lontana, il Re cercò una fidanzata di famiglia reale per il figlio e combinarono le nozze. Il giorno delle nozze, furono mandati i confetti a tutti i parenti, amici e familiari, e siccome nell'elenco dei parenti, amici e familiari c'era anche quella ragazza trovata nel campo delle fave, andarono gli Ambasciatori a portare i confetti anche a lei.

Gli Ambasciatori bussarono. La figlia del Sole scese ad aprire, ma era senza testa. — Oh, scusate — disse — mi pettinavo, e ho dimenticato la testa sulla toletta. Vado a prenderla. — Andò su con gli Ambasciatori, si rimise la testa sul collo e sorrise.

— Cosa vi do, per regalo di nozze? — disse; e portò gli Ambasciatori in cucina. — Forno, apriti! — disse, e il forno s'aprì. La figlia del Sole fece un sorriso agli Ambasciatori. — Legna, va' nel forno! — e la legna prese e andò nel forno. La figlia del Sole sorrise ancora agli Ambasciatori, poi disse: — Forno accenditi e quando sei caldo chiamami! — Si voltò agli Ambasciatori e disse: — Allora, cosa mi raccontate di bello?

Gli Ambasciatori, coi capelli ritti sul capo, pallidi come morti, stavano cercando di ritrovar parola, quando il forno gridò: — Sora padrona!

La figlia del Sole disse: — Aspettate — ed entrò nel forno rovente con tutto il corpo, ci si voltò dentro, tornò fuori e aveva in mano un bel pasticcio ben cotto e dorato. — Portatelo al Re per il pranzo di nozze.

Quando gli Ambasciatori giunsero a palazzo, con gli occhi fuor delle orbite, e raccontarono con un fil di voce le cose che avevano viste, nessuno ci voleva credere. Ma la sposa, ingelosita di quella ragazza (tutti sapevano che era stata l'innamorata del suo sposo) disse: — Oh, sono cose che facevo sempre anch'io, quand'ero a casa.

— Bene — disse lo sposo — allora le farai anche qui per noi.

— Eh, sì, certo, vedremo — cercava di dire la sposa, ma lui la condusse subito in cucina.

— Legna, va' nel forno — diceva la sposa, ma la legna non si muoveva. — Fuoco, accenditi — ma il forno restava spento. Lo accesero i servitori, e quando fu caldo, questa sposa era tanto orgogliosa che volle entrarci dentro. Non c'era ancora entrata che era già morta bruciata.

Dopo un po' di tempo, il figlio del Re si lasciò convincere a prendere un'altra moglie. Il giorno delle nozze, gli Ambasciatori tornarono dalla figlia del Sole a portarle i confetti. Bussarono, e la figlia del Sole, invece d'aprire la porta, passò attraverso il muro e venne fuori. — Scusate — disse — c'è la porta che non s'apre dal di dentro. Mi tocca sempre passare attraverso il muro e aprirla di fuori. Ecco, ora potete entrare.

Li portò in cucina e disse: — Allora, che cosa preparo di bello, al figlio del Re che si sposa? Su, su, legna, va' nel fuoco! Fuoco, accenditi! — E tutto fu fatto in un attimo, davanti agli Ambasciatori che sudavano freddo.

— Padella, va' sul fuoco! Olio, va' nella padella! E quando friggi chiamami!

Dopo poco l'olio chiamò: — Sora padrona, friggo!

— Eccomi — fece sorridendo la figlia del Sole, mise le dita nell'olio bollente e le dita si trasformarono in pesci: dieci dita, dieci pesci fritti bellissimi, che la figlia del Sole incartò lei stessa perché intanto le dita le erano ricresciute, e diede agli Ambasciatori sorridendo.

La nuova sposa, quando intese il racconto degli Ambasciatori stupefatti, anche lei gelosa e ambiziosa, cominciò a dire: — Uh, bella roba, vedeste io, che pesci faccio!

Lo sposo la prese in parola e fece preparare la padella con l'olio bollente. Quella superba ci cacciò le dita e si scottò così forte che le venne male e morì.

La Regina madre se la prese con gli Ambasciatori: — Ma che storie venite a raccontare! Fate morire tutte le spose!

Comunque, trovarono una terza sposa al figlio e il giorno

delle nozze tornarono gli Ambasciatori a portare i confetti.

— Uh, uh, sono qui! — disse la figlia del Sole quando bussarono. Si guardarono intorno e la videro per aria. — Facevo quattro passi su una tela di ragno. Ora scendo — e scese giù per la tela d'un ragno a prendere i confetti.

— Stavolta, davvero, non so che regalo fare — disse. Ci pensò su, poi chiamò: — Coltello, vieni qui! — Venne il coltello, lei lo prese e si tagliò un orecchio. Attaccata all'orecchio c'era una trina d'oro che le veniva fuori dalla testa, come fosse aggomitolata nel cervello e lei continuava a cavarla fuori che sembrava non finisse mai. Finì la trina, e lei si rimise a posto l'orecchio, gli diede un colpettino col dito e tornò come prima.

La trina era tanto bella che a Corte tutti volevano sapere da dove veniva, e gli Ambasciatori, nonostante il divieto della Regina madre, finirono per raccontare la storia dell'orecchio.

— Uh — fece la nuova sposa — io ho guarnito tutti i miei vestiti di trine che mi facevo a quella maniera.

— Te' il coltello, prova un po'! — le fece lo sposo.

E quella scriteriata si tagliò un orecchio: invece della trina le venne fuori un lago di sangue, tanto che morì.

Il figlio del Re continuava a perdere mogli, ma era sempre più innamorato di quella ragazza. Finì per ammalarsi, e non rideva più né mangiava; non si sapeva come farlo vivere.

Mandarono a chiamare una vecchia maga che disse: — Bisogna fargli prendere una pappa d'orzo, ma d'un orzo che in un'ora sia seminato, nasca, sia colto e se ne faccia la pappa.

Il Re era disperato perché orzo così non se n'era mai visto. Allora pensarono a quella ragazza che sapeva fare tante cose meravigliose e la mandarono a chiamare.

— Sì, sì, orzo così e così, ho capito — disse lei, e detto

fatto, seminò l'orzo, l'orzo nacque, crebbe, lo colse, e ne fece una pappa prima ancora che fosse passata un'ora.

Volle andare lei in persona a porgere la pappa al figlio del Re che se ne stava a letto a occhi chiusi. Ma era una pappa cattiva, e appena lui ne ebbe inghiottito un cucchiaio lo sputò e finì in un occhio della ragazza.

— Come? A me sputi in un occhio la pappa d'orzo, a me figlia del Sole, a me nipote di Re?

— Ma tu sei figlia del Sole? — disse il Re che era lì vicino.

— Io sì.

— E sei nipote di Re?

— Io sì.

— E noi che ti credevamo trovatella! Allora puoi sposare nostro figlio!

— Certo che posso!

Il figlio del Re guarì all'istante e sposò la figlia del Sole che da quel giorno diventò una donna come tutte le altre e non fece più cose strane.

(Pisa)

Bianca-come-il-latte-rossa-come-il-sangue

Un figlio di Re mangiava a tavola. Tagliando la ricotta, si ferì un dito e una goccia di sangue andò sulla ricotta. Disse a sua madre: — Mammà, vorrei una donna bianca come il latte e rossa come il sangue.

— Eh, figlio mio, chi è bianca non è rossa, e chi è rossa non è bianca. Ma cerca pure se la trovi.

Il figlio si mise in cammino. Cammina cammina, incontrò una donna: — Giovanotto, dove vai?

— E sì, lo dirò proprio a te che sei donna!

Cammina cammina, incontrò un vecchierello. — Giovanotto, dove vai?

— A te sì che lo dirò, zi' vecchio, che ne saprai certo più di me. Cerco una donna bianca come il latte e rossa come il sangue.

E il vecchierello: — Figlio mio, chi è bianca non è rossa e chi è rossa non è bianca. Però, tieni queste tre melagrane. Aprile e vedi cosa ne vien fuori. Ma fallo solo vicino alla fontana.

Il giovane aperse una melagrana e saltò fuori una bellissima ragazza bianca come il latte e rossa come il sangue, che subito gridò:

Giovanottino dalle labbra d'oro
Dammi da bere, se no io mi moro.

Il figlio del Re prese l'acqua nel cavo della mano e gliela porse, ma non fece in tempo. La bella morì.

Aperse un'altra melagrana e saltò fuori un'altra bella ragazza dicendo:

Giovanottino dalle labbra d'oro
Dammi da bere, se no io mi moro.

Le portò l'acqua ma era già morta.

Aperse la terza melagrana e saltò fuori una ragazza più bella ancora delle altre due. Il giovane le gettò l'acqua in viso, e lei visse.

Era ignuda come l'aveva fatta sua madre e il giovane le mise addosso il suo cappotto e le disse: — Arrampicati su questo albero, che io vado a prendere delle vesti per coprirti e la carrozza per portarti a Palazzo.

La ragazza restò sull'albero, vicino alla fontana. A quella fontana, ogni giorno, andava a prender l'acqua la Brutta Saracina. Prendendo l'acqua con la conca, vide riflesso nell'acqua il viso della ragazza sull'albero.

E dovrò io, che sono tanto bella,
Andar per acqua con la concherella?

E senza starci a pensar su, gettò la conca per terra e la mandò in cocci. Tornò a casa, e la padrona: — Brutta Saracina! Come ti permetti di tornare a casa senz'acqua e senza brocca! — Lei prese un'altra brocca e tornò alla fontana. Alla fontana rivide quell'immagine nell'acqua. "Ah! sono proprio bella!" si disse.

E dovrò io, che sono tanto bella,
Andar per acqua con la concherella?

E ributtò per terra la brocca. La padrona tornò a sgridarla, lei tornò alla fontana, ruppe ancora un'altra brocca, e la ragazza sull'albero che fin allora era stata a guardare, non poté più trattenere una risata.

La Brutta Saracina alzò gli occhi e la vide. — Ah, voi siete? E m'avete fatto rompere tre brocche? Però siete bella davvero! Aspettate, che vi voglio pettinare.

La ragazza non voleva scendere dall'albero, ma la Brutta Saracina insistette: — Lasciatevi pettinare che sarete ancor più bella.

La fece scendere, le sciolse i capelli, vide che aveva in capo uno spillone. Prese lo spillone e glielo ficcò in un'orecchia. Alla ragazza cadde una goccia di sangue, e poi morì. Ma la goccia di sangue, appena toccata terra, si trasformò in una palombella, e la palombella volò via.

La Brutta Saracina s'andò ad appollaiare sull'albero. Tornò il figlio del Re con la carrozza, e come la vide, disse: — Eri bianca come il latte e rossa come il sangue; come mai sei diventata così nera?

E la Brutta Saracina rispose:

È venuto fuori il sole,
M'ha cambiata di colore.

E il figlio del Re: — Ma come mai hai cambiato voce? E lei:

È venuto fuori il vento,
M'ha cambiato parlamento.

E il figlio del Re: — Ma eri così bella e ora sei così brutta!
E lei:

È venuta anche la brezza,
M'ha cambiato la bellezza.

Basta, lui la prese in carrozza e la portò a casa.
Da quando la Brutta Saracina s'installò a Palazzo, come sposa del figlio del Re, la palombella tutte le mattine si posava sulla finestra della cucina e chiedeva al cuoco:

O cuoco, cuoco della mala cucina,
Che fa il Re con la Brutta Saracina?

— Mangia, beve e dorme — diceva il cuoco.
E la palombella:

Zuppettella a me,
Penne d'oro a te.

Il cuoco le diede un piatto di zuppetta e la palombella si diede una scrollatina e le cadevano penne d'oro. Poi volava via. La mattina dopo tornava:

O cuoco, cuoco della mala cucina,
Che fa il Re con la Brutta Saracina?

— Mangia, beve e dorme — rispondeva il cuoco.

Zuppettella a me,
Penne d'oro a te.

Lei si mangiava la zuppettella e il cuoco si prendeva le penne d'oro.

Dopo un po' di tempo, il cuoco pensò di andare dal figlio del Re a dirgli tutto. Il figlio del Re stette a sentire e disse: — Domani che tornerà la palombella, acchiappala e portamela, che la voglio tenere con me.

La Brutta Saracina, che di nascosto aveva sentito tutto, pensò che quella palombella non prometteva nulla di buono; e quando l'indomani tornò a posarsi sulla finestra della cucina, la Brutta Saracina fece più svelta del cuoco, la trafisse con uno spiedo e l'ammazzò.

La palombella morì. Ma una goccia di sangue cadde nel giardino, e in quel punto nacque subito un albero di melograno.

Quest'albero aveva la virtù che chi stava per morire, mangiava una delle sue melagrane e guariva. E c'era sempre una gran fila di gente che andava a chiedere alla Brutta Saracina la carità di una melagrana.

Alla fine sull'albero ci rimase una sola melagrana, la più grossa di tutte, e la Brutta Saracina disse: — Questa me la voglio tenere per me.

Venne una vecchia e le chiese: — Mi date quella melagrana? Ho mio marito che sta per morire.

— Me ne resta solo una, e la voglio tenere per bellezza — disse la Brutta Saracina, ma intervenne il figlio del Re a dire: — Poverina, suo marito muore, gliela dovete dare.

E così la vecchia tornò a casa con la melagrana. Tornò a casa e trovò che suo marito era già morto. "Vuol dire che la melagrana la terrò per bellezza" si disse.

Tutte le mattine, la vecchia andava alla Messa. E mentr'era alla Messa, dalla melagrana usciva la ragazza. Accendeva il fuoco, scopava la casa, faceva da cucina e preparava la tavola; e poi tornava dentro la melagrana. E la vecchia rincasando trovava tutto preparato e non capiva.

Una mattina andò a confessarsi e raccontò tutto al confessore. Lui le disse: — Sapete cosa dovete fare? Domani fate finta d'andare alla Messa e invece nascondetevi in casa. Così vedrete chi è che vi fa da cucina.

La vecchia, la mattina dopo, fece finta di chiudere la casa, e invece si nascose dietro la porta. La ragazza uscì dalla melagrana, e cominciò a far le pulizie e da cucina. La vecchia rincasò e la ragazza non fece a tempo a rientrare nella melagrana.

— Da dove vieni? — le chiese la vecchia.

E lei: — Sii benedetta, nonnina, non m'ammazzare, non m'ammazzare.

— Non t'ammazzo, ma voglio sapere da dove vieni.

— Io sto dentro alla melagrana… — e le raccontò la sua storia.

La vecchia la vestì da contadina come era vestita anche lei (perché la ragazza era sempre nuda come mamma l'aveva fatta) e la domenica la portò con sé a Messa. Anche il figlio del Re era a Messa e la vide. "O Gesù! Quella mi pare la giovane che trovai alla fontana!", e il figlio del Re appostò la vecchia per strada.

— Dimmi da dove è venuta quella giovane!

— Non m'uccidere! — piagnucolò la vecchia.

— Non aver paura. Voglio solo sapere da dove viene.

— Viene dalla melagrana che voi mi deste.

— Anche lei in una melagrana! — esclamò il figlio del Re, e chiese alla giovane: — Come mai eravate dentro una melagrana? — e lei gli raccontò tutto.

Lui tornò a Palazzo insieme alla ragazza, e le fece raccontare di nuovo tutto davanti alla Brutta Saracina. — Hai sentito? — disse il figlio del Re alla Brutta Saracina, quando la ragazza ebbe finito il suo racconto. — Non voglio essere io a condannarti a morte. Condannati da te stessa.

E la Brutta Saracina, visto che non c'era più scampo, disse: — Fammi fare una camicia di pece e bruciami in mezzo alla piazza.

Così fu fatto. E il figlio del Re sposò la giovane.

(Abruzzo)

NOTA

Come il precedente volume *L'Uccel Belverde*, le narrazioni qui contenute sono tratte dalla mia raccolta *Fiabe italiane* (Einaudi, Torino 1956, ed edizioni seguenti). Prima ancora, esse erano state pubblicate da studiosi di folklore; le fonti delle quali mi sono servito sono ampiamente specificate nell'introduzione e nelle note dell'edizione completa. Anche qui vi sono fiabe che si raccontano quasi alla stessa maniera in tutta Italia: *Prezzemolina*, *L'amore delle tre melagrane*, *Il Drago dalle sette teste*, e se esse vengono presentate volta a volta come "fiaba siciliana" o come "fiaba toscana" è perché tra le varianti dialettali ho scelto la più ricca e bella, talvolta integrandola con elementi d'altre versioni regionali. In mezzo alle fiabe la cui tradizione è comune a gran parte dell'Europa e non solo all'Italia, fanno spicco quelle che, pur contenendo motivi diffusi nel folklore internazionale, si presentano nell'insieme come narrazioni assolutamente originali, come la fiaba veneziana *Il Principe granchio* e alcune siciliane, soprattutto *Sperso per il mondo*.

Per le fiabe siciliane devo avvertire che non ho fatto

che tradurre i testi dialettali di Giovanni Pitrè, scegliendoli dai quattro volumi di *Fiabe, novelle e racconti popolari siciliani* (Palermo 1875). Così ho fatto ogni volta che il testo originale dialettale lo permetteva. Quando invece la mia fonte era o solo un riassunto o una versione italiana stilisticamente scolorita, oppure presentava una coloritura stilistica che s'allontanava troppo dalla mia, la mia "riscrittura" si è presa qualche libertà.

I. C.

INDICE

ITALO CALVINO

Di origine ligure, è nato a Santiago de Las Vegas, a Cuba, nel 1923. Ha vissuto sempre in Italia, tra Sanremo, Torino e Roma, eccetto un lungo periodo trascorso a Parigi. Intellettuale di grande impegno politico e dai molteplici interessi editoriali e letterari, Calvino fu protagonista del panorama culturale dell'Italia del secondo dopoguerra.

Tra i suoi libri ricordiamo quelli ispirati all'esperienza della guerra e della lotta partigiana: *Il sentiero dei nidi di ragno, Ultimo viene il corvo* e *L'entrata in guerra*; i racconti del periodo torinese: *La speculazione edilizia, La nuvola di smog, La formica argentina, La giornata di uno scrutatore*, e le opere dalla struttura narrativa particolarmente originale, come le *Cosmicomiche, Ti con zero, Le città invisibili, Il castello dei destini incrociati, Se una notte d'inverno un viaggiatore, Palomar*.

Nella vasta produzione dell'autore, un posto a parte spetta alla trilogia "I nostri antenati", di cui fanno parte *Il visconte dimezzato, Il barone rampante, Il cavaliere inesistente*.

Ai bambini e ai ragazzi Calvino ha dedicato alcuni adattamenti di sue opere per adulti, i racconti di *Marcovaldo* e piccole preziose storie come *La foresta-radice-labirinto*. Dall'opera *Fiabe italiane*, da lui raccolte e trascritte, ha tratto una scelta: *L'Uccel Belverde e altre fiabe italiane*.

Dopo la sua morte, avvenuta nel 1985, sono state pubblicate le *Lezioni americane* che Calvino avrebbe dovuto tenere di lì a pochi mesi all'Università di Harvard, considerate il suo testamento letterario.

EMANUELE LUZZATI

L'ILLUSTRATORE

È nato a Genova nel 1921 e qui è morto nel 2007. Si è diplomato all'Ecole des Beaux Arts di Losanna, dove si era rifugiato per sfuggire alle leggi razziali del regime fascista.

Pittore, decoratore, illustratore, ceramista di straordinario talento, si è dedicato sia all'illustrazione di libri per l'infanzia che alla realizzazione di scene e costumi teatrali per alcune delle più importanti compagnie nazionali e internazionali. È stato tra i fondatori del "Teatro della Tosse" di Genova e ha ricevuto due nomination all'Oscar per i suoi film d'animazione: *La Gazza ladra* e *Pulcinella*. Gli sono state dedicate innumerevoli mostre e nel 2000, al Porto Antico di Genova, è stato inaugurato un museo che porta il suo nome.